JN056184

笑顔のつぎ木

東京藝大 クローン文化財

The Clone Cultural Properties
from Tokyo University of the Arts

宮廻正明＋深井 隆【監修】 ─IKI─【編著】

目次

遺跡・仏跡

日本絵画

西洋絵画

凡例

- 本書は「クローン文化財」と総称されるプロジェクトの、2022年までの主要な成果を事例ごとにまとめている。
- 東京藝術大学の研究機関であるCOI拠点が主体となりクローン文化財の研究制作を行い、その活用事業の展開を担う東京藝術大学発ベンチャーのIKIが本書の編著を担った。
- 各事例の「イントロダクション」「制作ノート」の項の執筆は、クローン文化財の研究に携わったCOI拠点の研究員が担当した。
- 執筆者全員の肩書きは207頁に記載したが、COI拠点の研究員以外のものについては各原稿にも明示した。
- 作品タイトルのうち、オリジナルの文化財で主に近代以前の作者の特定されないものは「　」で、クローン文化財として再現したものは《　》で示した。
- 展覧会図録として制作した『「素心伝心」クローン文化財 失われた刻の再生』(東京藝術大学シルクロード特別企画展実行委員会、2017年)、『みろく─終わりの彼方 弥勒の世界─』(東京藝術大学、2021年)から図版・テキストを一部編集して再録した。

クローン文化財とは何か？

古くより伝承されてきた伝統的な模写の技術と、現代のデジタル撮影技術や2D・3Dデジタル技術を融合させ、流出・消失した世界中の文化財を復元する、これまでにない高精細な複製は「クローン文化財」と名づけられた。オリジナルの詳細な調査を行い、デジタル技術とアナログ技術の双方を駆使し、絵具や基底材などの成分、表面の凹凸、筆のタッチまでを忠実に再現するべく東京藝術大学COI拠点によって開発が進められている。従来の複製と大きく異なる点として、ひとの手技や感性を取り入れることで、文化的背景、精神性など、いわば「芸術のDNA」にいたるまでを再現することがある。まさしく文化財のクローンである。クローン文化財は文化財という世界共有の財産を守り伝える新技術として、文化の共有と継承、平和の実現を目指している。

クローン文化財 　東京藝術大学にて商標登録済み

現存する文化財を対象に、現状のあるがままの姿を、質感まで高精細かつ忠実に再現した文化財複製。
※本書では一部、文化財複製技術、スーパークローン文化財、ハイパー文化財も包括した総称として「クローン文化財」を使用している。

スーパークローン文化財

劣化や欠損への想定による補完を含め、可能な限り過去の状況を研究し、復元した複製作品。または消失した文化財を対象に、消失前状況を高精細に質感まで復元した複製作品。

ハイパー文化財 　東京藝術大学にて商標登録済み

あらゆる文化財を対象に、制作時に表現したかったと考えられる本質を、当時の技術・材料などの制約から解放し、現代科学技術のもとで創造した作品。

過去を復元……
スーパークローン文化財

現在を再現……
クローン文化財

未来を創造……
ハイパー文化財

文化財の永遠の課題は
「保存と公開」である

青柳正規（東京大学名誉教授／元 文化庁長官）

　文化財の永遠の課題は「保存と公開」である。保存だけを尊重するなら秘仏のような存在となってしまい、それ自体が持つ価値を封印したことになる。一方、公開を優先すると劣化や損傷のリスクを負うことになる。両方のバランスを考えながら後代に継承することが文化財の持続性を担保することにつながる。

　しかし、オーレル・スタインやポール・ペリオ、あるいは大谷探検隊が訪れた20世紀初頭の敦煌と100万人を超す観光客が押し寄せる現代とでは文化財をとりまく環境はまったく違っている。文化財にかかるストレスは飛躍的に増大しているのである。たとえば、イタリア北部の都市パドヴァにあるスクロヴェーニ礼拝堂にはキリストの生涯などを描いたジョットの壁画がある。今から20年ほど前に壁画の劣化原因を解明する調査が行われたところ、自動車の排気ガスが推測されていたが実際には礼拝堂を訪れる観光客の吐く息が主要な原因であることがわかった。このため現在では1日の入場者数を制限することによって壁画を守る方策が取られている。

　当分の間、世界的な観光ブームの中で文化財にかかるストレスが増加することはあっても減少することはないと推定される。このような状況下、文化財を守ると同時に文化財を見たいという多くの人々の希望に対応するにはもはや「保存と公開」のバランスを考えながら公開するという方法だけでは社会的ニーズに対応できなくなりつつある。しかも爆破行為によって失われてしまったバーミヤン東大仏天井壁画や貴重な文化財であるがゆえに模写によって記録保存しようという作業中に焼損した法隆寺金堂壁画のような不幸な例もある。失われた文化財の場合、写真などの記録資料によって復元し、現存する文化財の場合はオリジナル作品への負荷を軽減するためのレプリカとしてクローン文化財を活用する手段がある。これまでのレプリカやコピーとは異なり最新の科学技術を利用して精度の高いレプリカを製作し、彫刻、絵画、工芸等の美術家によって最後の仕上げをするクローン文化財の再現性は、十分にオリジナル作品の代替ができるだけの質を確保している。この新たなクローン文化財の活用こそ現代社会の文化財に対する需要に応える有効な手段なのである。

※2017年に東京藝術大学大学美術館で開催したシルクロード特別企画展「素心伝心─クローン文化財 失われた刻の再生」図録の文章を再掲載した。

手技とデジタルの混在

宮廻正明

進化が止まらない
クローン文化財

文化財の伝承にはこれまで膨大な時間と費用が投じられてきた。文化財は手作業による模写や模刻、伝統的な保存修復技術によって伝承され、唯一それらの分析において科学技術を導入してきた。しかしながら、模写や模刻のプロセスにも最先端デジタル技術を併用することで、飛躍的に文化財の公開や活用を進めることができるのではないかと新しい複製制作の開発が進められた。

まず開発に成功したのがクローン文化財である。「いかにオリジナルに近づけることができるか」が第1の目標だった。立体の文化財を3Dスキャナのデータをもとに樹脂で原型をつくるというまったく未知の世界に挑戦した。そしてさらに手作業による仕上げを行いクローン文化財の第1号が誕生した。また平面作品は、限りなく原本に近い質感の下地の上に、高精細プリンタで印刷をし、手作業による仕上げを行った。

続いて取り組んだのが、スーパークローン文化財である。「時間の壁を超える」というのが第2の目標である。焼損や破壊により失われた文化財の復元である。その過程では、美術史家や作家による検証をもとに制作当時の形態に限りなく復元するなど、制作当初に時を戻すという試みをスーパークローン文化財は可能にする。

そして、眼に見えないものや耳に聞こえないものを感じ取ることにより、文化の「未来に想いを馳せる」試みであるハイパー文化財の開発に着手する。ある仮説から、透明な仏像の制作に着手する。完成した透明な仏頭に真下から光を当てると、頭部の螺髪を通して天蓋の部分に右巻きの光の螺旋が現れた。NASAの調査によると、木星にも同様に右巻きの青い渦が存在するそうだ。飛鳥時代につくられた釈迦三尊像の頭部の螺髪が青く塗られていたことにも繋がっていく。これらの一致こそが我々が求めていた芸術と科学の混在である。芸術家の創造の力が時を超え、点と点をつないでいく。現実を超越した未来に向けた発想こそがハイパー文化財の真骨頂である。

唯一無二の存在であるはずの文化財を複製することは布教・教育を例外とすればタブーと考えられていた。しかしながらしっかりとしたクローン文化財の管理体制を確立し、流出することがないように努めていけば、独占されていた文化財を共有できる時代が来ると信じてやまない。

文化財を
独占から共有へ導く
文化継承学

昔の人々は植物の命と人間の命を同じものと考え、命を永遠に繋げる「とこ」という意識を持っていた。漢字を当てはめると「常」だが、これを「とこ」と読むと永遠に続く現象を表し、「つね」と読むと不変を表す。この二極を使い分け、時間を円環させるという考え方を編み出したそうだ。

　文化遺産や文化財は、各国にとっては重要な観光資源であり、人類の貴重な共有財産でもある。また歴史的・文化的に価値の高い考古遺物や芸術作品が広く公開されることは、文化の発展にとって意義深いことである。しかし、そうした文化財は物理的な接触の他、光や空気に触れるだけで退色や劣化が進んでいく。そのため、今までは保存と公開を両立させることは不可能であると考えられていた。

　この問題を解決するため、東京藝術大学COI（センター オブ イノベーション）拠点では、芸術と科学の混在（融合）による高精度な文化財の複製技術＝クローン文化財の開発に着手した。クローン文化財は、最先端のデジタル技術と伝統的なアナログ技術を混在させ、双方の化学反応を引き出そうとする試みである。最先端技術に、人の手技や伝統的な技法、人間の感性を取り入れることにより、単なる複製ではなく新たな芸術を生み出すことを目指している。

　実際に、クローン文化財の制作に当たっては、オリジナルの詳細な調査を行い、質感や基底材などの成分、表面の凸凹、筆のタッチや形状まで忠実に再現する。ただし、真の目的は、学術的に信憑性・妥当性の高いクローン文化財を生み出すことだけに留まらない。文化そのものを生み出す人と技を育て、文化を次世代に継承することにより、新たな創造の誕生に繋げることにある。日本には「うつし」という独特の文化がある。それは単にオリジナルをそのまま写しとるのではなく、そこから技術や思想を学び、新しい創造を生みだすための行為である。そしてクローン文化財はオリジナルと同一素材・同一質感であるだけでなく、技法・歴史・文化的背景など芸術のすべてのDNAを再現しているのである。

　文化財保存の発想から生まれた、過去から未来までを具現化する文化継承学である。

笑顔のつぎ木 ──クローン文化財──

日本人にとって花と言えば「桜」である。そしてソメイヨシノというクローンの桜が、南から北へと一気に日本中を駆け巡り、開花とともに春を告げる。

　川面にキラキラと輝く光には、名前がない。どんなに美しくてもそれに見合う名前がないと、波紋は広がっていかない。

　最初、クローン文化財という言葉には抵抗があったが、海外で公開する際に「日本の桜と同じ、クローンの作品です」と説明すると、すぐに理解し受け入れてもらえるようになる。多くの人が、その本質を即座に納得するような名前がないと、ただそっくりな偽物と誤解をしてしまう。

　特許を取得し、単なる複製という領域を超えた今回のプロジェクトは、クローン文化財という名前を得て、世界へと広がっていった。それまでは、オリジナルとそっくりなものをつくると贋作として扱われてきた。しかし、クローン文化財が作品としてもつ意義は、それとは一線を画している。

第1に、文化財の保存と公開という矛盾を解決できること。

第2に、文化財の独占から共有へと大きく舵を切るきっかけになること。

第3に、人材育成を通して、自国の文化を自らの手で守り、広めていく夢が生まれること。

第4に、過去にアーカイブされていた資料を掘り起こし、消失した文化財や欠損・変色した文化財を限りなく元の状態に復元できること。

第5に、クローン文化財を前にして、誰でも鑑賞し、触ることもできること。

第6に、クローン文化財そのものが、国境を越えて移動して、人々の眼前に公開できること。

　多くの難題を乗り越えて完成したクローン文化財は桜と同じように綺麗な花を咲かせることだろう。

　クローン文化財を持って世界の美術館を回ってみると、「触っても良いのですか」と半信半疑で質問がある。最初は恐る恐る触れてみているが、やがて皆の顔に笑顔が浮かぶ。その笑顔の輪が周囲の人にも広がっていく。クローン文化財というつぎ木によって、新たな文化の生命が芽吹き、人々に笑顔の花を分け与えることができる。クローン文化財の魅力で大きな喜びと感動の輪を広げていくことにより、平和で豊かな世界をつくり上げていきたいと願う。

クローン文化財の展示と文化の共有

展示のあり方を変える

　完成したクローン文化財は、展示と公開に多くの可能性を持っている。固定されてしまい別の場所に移動することができない壁画のようなものでも、クローンをつくることにより世界中で展示が可能になり、いわゆる「移動美術館」ができるようになる。

　一方で、所蔵している美術品を他の美術館に貸し出しているときでも、オリジナルと同質のクローン作品を展示することにより、旅先で楽しみに訪ねた人たちが目的の作品が展示されていないと悔しい思いをすることもなくなる。

　また、クローン文化財が普及すれば、展覧会や美術館・博物館のコンセプトにも大きな影響を与えるだろう。たとえば、フェルメールの絵画は希少であり、作品が公開される度に美術館には長蛇の列ができる。クローン文化財を活用すれば、フェルメールの全作品を一堂に集めることが可能になり、作品の鑑賞にとどまらずフェルメールの生涯やフェルメール自身に想いを馳せることもできるようになる。

　世界中に点在するゴッホの《ひまわり》をすべて集めて《ひまわり》の変化の過程を鑑賞できる。そこに戦争により焼失してしまった「芦屋のひまわり」のスーパークローン文化財を加えて見ることもできる。これまでの展覧会の常識が覆す夢のような美術館や美術教育が誕生する。

さわれる文化財

クローン文化財は直接手で触れることもできるため、文化財を触覚で親しむことができるのも利点である。たとえば浮世絵なども実際に手に取って板木によってつくり出された微妙な凹凸を間近に鑑賞することができるようになる。大人も子どもも、視覚が不自由な人びとも、触れて感じて楽しむことの素晴らしさを体感でき、文化財への理解度が一層深まっていく。

　文化財は、文字通り文化的な「財産」であり、これまではオリジナルを所有できることが価値と見なされていた。しかしながらこれからは、「つくり出すことができる資源」としてクローン文化財を大いに活用することができる。また貴重な文化財が、個人に独占されていたり投資の目的により購入されていたものが、クローン文化財によって解放され共有できる時代になると、文化による心の癒しの幅が大いに増えていくようになる。

　世界中の文化財を「もの」としてだけではなく、精神性や感性、本質までも復元することにより、文化財の破壊や違法な売却は無意味化・無力化する。紛争やテロによる文化財破壊行為の防止にも役立ち、平和構築の一環としてつくり出すことができる「資源」になりうる。

（宮廻正明）

五感を刺激する新たな鑑賞体験

各地で行われたクローン文化財の展示風景

これまでクローン文化財は研究開発と制作だけでなく、日本全国各地の美術館、博物館などで展示公開を行ってきた。また、世界各地においてもクローン文化財の普及活動を積極的に展開している。クローン文化財を活用した展示では、作品単体の複製にとどまらず、オリジナルが設置されていた空間をそのまま復元することで、その場にいるような臨場感を得られる空間表現に取り組んできた。

　また、現地の光の再現、音や映像、香りの演出などを加えることで、オリジナルの文化財では実現が困難な新たな付加価値を伴った五感を刺激する鑑賞体験に挑戦し続けている。

クローン文化財の展示と文化の共有

自然光が降り注ぐ空間でも

展示風景「スーパークローン文化財展　芸術は科学で甦る」、2020年

クローン文化財の特長のひとつに可搬性の高さがある。そのため、より多くの人びとが文化財に親しむ機会を提供できる。事前の調査で取得した画像や3Dデータだけでなく、制作工程も合わせてデジタルデータでアーカイブすることで、万が一破損した場合でも再制作できることも特長だ。

　2020年に北九州市にある大連航路上屋で開催した「スーパークローン文化財展　芸術は科学で甦る」では、会場入り口の扉が開け放たれ、外気を取り込み、天窓から自然光が降り注ぐ開放的な空間に、クローン文化財が展示された。厳重な管理と保存が求められるオリジナルの文化財では実現不可能な取り組みも、クローン文化財では可能である。

いま、ベンヤミンから考えるスーパークローン文化財

田中正史（元 長野県立美術館 学芸課長）

美術や芸術の分野で「複製」と聞くと、多くの人はヴァルター・ベンヤミンが1936年に発表した論考『複製技術時代の芸術』を思い浮かべるのではないだろうか。

そこでは、芸術作品が、「それが存在する場所に、1回限り存在する」という特性を喪失し、「根源から伝えられうるものの総体」である「真正性」すなわち「アウラ」が損なわれる経過が語られるとともに、複製を前提に19世紀末から台頭してきた、写真や映画やダダイズム絵画などを積極的に評価するための理路が提示されている。

一方、「複製」という言葉には、美術作品の代替品としての「レプリカ」や、さらには「贋物」にまで至るマイナスのイメージがつきまとうことも確かであろう。

東京藝術大学は、最新のデジタル技術に人間の手技や感性を取り入れ、社会情勢や自然環境の変化により、間近で実物を鑑賞することが困難になった文化財を、「クローン文化財」あるいは「スーパークローン文化財」として複製し、周囲の環境までも含めて精密に復元する技術を確立した。

「クローン文化財」とは対象となる文化財を複製し、現状のあるがままの姿に「再現」したもの。対して「スーパークローン文化財」は、その文化財が制作された当時の状況を研究し、当時の姿のままに「復元」した複製である。

いずれも、「複製」する行為を、素材・質感・技法と文化的背景や精神性など継承する手段として用い、新たな芸術を生み出すことを目指しているという。

もともと、文化財は常に、危険にさらされている状況にある。科学の発展は、文化財を保護し、修復する技術を進化させてきたが、一方で、地球温暖化を引き起こし、近年の気候の急激な変化が、文化財をさらなる危険に直面させることになった。国際情勢の緊迫による地域紛争の激化も、その危機を加速させている。

実は、物理的な環境だけを前提に考えると、文化財を確実に保護するためには公開などせず、外部から遮断された環境に秘匿しておくことが最善の方法なのである。しかし、実際の歴史的な経緯を踏まえるならば、文化財の存在が幅広く認識され、多くの目に触れることができたからこそ、それに心を強く動かされた人たちの間に、文化財を守り伝えたいという思いが高まり、文化財がのこされる結果

につながったという側面もある。美術館や博物館における活動も含めて、文化財の保存と公開の問題は、背反すると同時に表裏一体でもある、矛盾に充ちた、きわめて複雑な営みなのだといえるだろう。

そのような文化財の保存と公開の問題において、2017年、東京藝術大学大学美術館で開催されたシルクロード特別企画展「素心伝心—クローン文化財 失われた刻の再生」展で紹介された「クローン文化財」は、新たな方向性を指し示すことになった。

近年はLED照明が導入されて改善されたようだが、長年、法隆寺金堂の暗い空間に安置され、はっきりと目視することが困難な状態にあった釈迦三尊像や、1949年1月26日の早朝に発生した火災で焼損した金堂外陣の壁画、保存上の理由から拝観が制限されている中国・敦煌莫高窟の壁画、ドイツの探検隊に剥ぎ取られて、持ち去られた上に空襲で焼失してしまった中国・キジル石窟の壁画、さらに、2001年に爆破されたアフガニスタンのバーミヤン東大仏天井壁画など、もう、この世の中に存在しないか、存在はしていても、多くの人たちの目につくことはない文化財を、間近で観察することができるのである。

もちろん、それは本物の文化財ではなく、あくまでも「複製」である。しかし、法隆寺金堂の釈迦三尊像の複製を、近い距離で、細部にいたるまで精密に観察するとことができるならば、実際に本物の釈迦三尊像を鑑賞する際にも

有効な経験となるだろう。

キジル石窟の航海者窟壁画や、バーミヤン東大仏天井壁画など、既に失われてしまった文化財であっても、調査に基づいて正確に再現された「複製」を観察することで、鮮明なイメージを確固としたものにできていれば、世界の歴史の中で、文化財がどのような影響関係により展開されてきたかを比較検討しながら研究するための大きな助けになるはずである。

さらに特筆すべきは、長野県立美術館における展示が本邦初公開となる、全身が金色に輝く、「復元」された「法隆寺金堂釈迦三尊像」の存在である。

そもそも、仏像の造形は、古くから経典に説かれた、『儀軌』と称される規則に拠って為されてきた。中でも、最高位たる如来像は全身が金色に輝くとされており、法隆寺金堂釈迦三尊像も建立された当初は光背も含めた全体に金メッキが施されていた。今回、展示されるのは、その状態での釈迦三尊像の「複製」であり、いまとは相当に印象が異なる、1400年近くもむかしの姿を、現在の姿と比較しながら視覚的に体験することができるのである。

対象そのものが失われてしまった、キジル石窟の航海者窟壁画やバーミヤン東大仏天井壁画も同様であるが、現存している法隆寺釈迦三尊像についても、現在の状態からはうかがい知ることができない造立当時の姿形を、VRやARといった仮想現実の世界のこととしてではなく、実体を持った立体造形の「復元」として体

験できるならば、当時の製造技術の実態を知るためなどに、きわめて有用であるといえるだろう。

　また、仏像や壁画の本体だけでなく、それが置かれている環境までをも含めて立体的に「復元」することは、美術館や博物館での「本物」の展示——それは、文化財が本来ある場所から切り離された、いわゆるホワイトキューブでの展示——とは大きくちがった意味合いを包含することになった。とくに、今回の展示のような仏教美術に焦点を当てた場合には、その周囲の信仰の場としての環境が復元されるのである。

　前述した、ベンヤミンの『複製技術時代の芸術』によるならば、世界最古の芸術作品は魔術的・宗教的な儀式に用いるために成立していたのであり、唯一無二の存在であるからこそその一回性に「礼拝的価値」を有していたという。

　時代が経過すると、この礼拝的価値に対して、新しい時代の芸術作品は、もう一方の極である「展示的価値」へ移行してゆくのだが、それには複製技術の手法が大きく関わっていたとされる。そのような前提に立つときに、「スーパークローン文化財」の新しい複製技術が、信仰の対象としての芸術作品（文化財）の在り方を見る者に強く思い起こさせるということは、逆説的ではあるが、興味深い事象なのではないだろうか。

　もう一つ、「スーパークローン文化財」の技術から連想されることに、フランスの作家であり、文化担当国務大臣も務めた、アンドレ・マルローが提唱した「空想美術館」の概念があ

る。「空想美術館」とは、同じく複製の技術である印刷や写真などの発達により、世界中の歴史的な芸術作品を図版で鑑賞できるようになったことで、あらゆる芸術作品の図版を並べて比較できるようにし、芸術作品の着想や制作の過程における相互関係の視覚化を通して新たな解釈を促すものとされる。「スーパークローン文化財」の技術は、このような試みを立体化して実行できる可能性も秘めているのではないかと考えられる。

　2021年の長野県立美術館のように新しく建築された施設では、コンクリートが完全に乾くまで、コンクリートの打設から2回の夏の季節を越すことが必要とされ、それまでの期間中は作品保全の観点から貴重なオリジナルの文化財を展示することができない。長野県立美術館の場合、2021年の夏までがこの期間に当たった。

そのような状況で、あえて実物ではない「複製」の文化財を展示することにより、美術館という施設の本質に関わる、公開と保存・修復・復元をめぐるさまざまな問題について新たな視点から考える機会なるのではないかと期待される。

※2021年に長野県立美術館で開催した「未来につなぐ〜新美術館でよみがえる世界の至宝　東京藝術大学スーパークローン文化財展」会場配布物掲載の文章を改題のうえ再掲した。

遺跡・仏跡

HISTORIC SITES /
BUDDHIST HOLY SITES

北朝鮮
高句麗古墳 江西大墓
Kangso Large Tomb, Goguryeo Tomb, North Korea

高句麗古墳群は、2004年に中国東北部に所在する高句麗前期の遺跡とともに世界遺産に登録された、朝鮮民主主義人民共和国平壌市および南浦市周辺に所在する63基の古墳群である。高句麗古墳群のうち、壁画が描かれているものは16基で、それらの描かれた年代は4世紀末〜7世紀初め頃とされている。壁画が描かれている下地とその主題は、時代の推移とともに、漆喰に人物や風俗を描いたものから、花崗岩に直接描かれた四神図へと移り変わり、墓室の構造も実際に生活した部屋を模したような回廊を伴う複雑なものから、羨道（玄室に通じる道）と玄室だけの単室墓へと変化していった。特に四神図においては、高句麗古墳壁画を一望することで、数百年という歳月をかけて完成され、海を渡り、我が国のキトラ古墳や高松塚古墳に影響を与えたことを推察できる。

　江西大墓はこれら高句麗古墳群の中の1基で、南浦市江西区域三墓里に位置する。地名の三墓里の名の通り、大墓の他に中墓と小墓の計3基が築造されている。3基のうち大墓と中墓には壁画が描かれ、小墓には壁画は描かれていない。大墓と中墓はどちらも羨道と玄室だけの単室墓で、花崗岩に直接四神図が描かれ、高句麗古墳群の中でも最晩年のものと考えられている。その壁画の表現は非常に伸びやかで力強い筆致で描かれ、高句麗壁画の四神図の中でも最高傑作といえるだろう。現在の古墳内は壁画保護のためにガラスに覆われており、迫力のある筆致で描かれた四神を直接一望することがかなわない。我が国の文化との関連も指摘されるこの貴重な壁画を展示可能にすべく、クローン文化財の制作が行われた。

力強く、流麗で躍動感にあふれた四神図

東京藝術大学保存修復日本画研究室が
行った現地調査

東京藝術大学保存修復日本画研究室では、2006年4月に高句麗古墳群のうち、江西大墓・中墓(6世紀末～7世紀初)、徳興里古墳(5世紀初)、安岳3号墳(4世紀後半)の現地調査を2日間かけて行った。これは主に模写制作を目的としたもので、調査内容は、目視調査・色合わせ(パステルで原本と同じ色調を別の紙に写し取ること)・写真撮影であった。

　江西大墓の玄室は、南壁を除いた壁面の幅がそれぞれ約3.1mで、南壁の中央に人が出入りできるほどの入り口が設けられている。玄室内に進むとまず目に入るのは、北壁に描かれた玄武である。次に左右を見ると東壁の青龍と西壁の白虎がこちらを向き、後方入り口に向かって朱雀が左右に一対描かれている。まるで中央2カ所に置かれた棺台の上の墓主を侵入者から守るために、威嚇しているかのようである。

　壁画を間近に観察して最初に感じるのは、その一番の美しさが、生き生きとした線描にあるということである。力強く、流麗で、躍動感にあふれている。江西大墓や中墓の四神図は3.1mほどの壁に大きく描かれ、男性が両手をいっぱいに広げたほどの大きさになる。非常に長い線であっても力強さが衰えることはなく、生き生きと描かれている。また彩色については、我が国のキトラ古墳や高松塚古墳に描かれる四神図が、主にそれぞれを象徴する色(玄武:黒、青龍:緑、白虎:白、朱雀:赤)で彩色されているのに対し、江西大墓では、前者ほどはっきりとは区別されてはおらず、全ての壁面において特に赤の発色が非常に美しかった。

手作業による模写の問題点と特許技術の開発

現地調査を踏まえ、保存修復日本画研究室では、江西中墓南壁西側朱雀の模写を行った。模写では、1912年の発掘当初の図像を東京大学所蔵の下絵を参考にしながら、よみがえらせることになった。作業は

江西中墓《朱雀》上げ写し

2名で全て手作業で行い、完成までに1年半の年月を要した。

　元来、日本画家において模写は学画のために行われてきたものであるが、近代以降は、現状を記録し公開するための役割も担うようになっている。しかし、従来行われてきたような手作業の模写方法では、この江西中墓や江西大墓の四神図のような場合、特に問題があると感じられた。それは花崗岩に直接描かれているため、本来、絵具や筆で描かれていないにもかかわらず、凹凸や花崗岩の模様などを長時間かけて写しとらなくてはならないのである。模写に長い年月を要したのは、このためだった。こうした事態を解消するために開発されたのが、2010年に特許を取得した技術である。

複製による記録の必要性とこれから
模写制作は、平山郁夫氏が「高句麗会」から譲り受けた1980年代に撮影されたポジフィルムを使用して行っていた。しかし2006年の現地調査の結果と比較すると、1980年代には確認できていた線描が欠失してしまっている箇所が随所に見受けられた。特に、赤い顔料の上に引かれた線描が欠失してしまっているようであった。江西大墓の模写は、当時東京美術学校図案科の助教授だった小場恒吉による1912年(大正元年)の発掘当初の模写の他に1930年代の模写が知られている。照明設備の充実していなかった1912年の模写はさておき、本格的に行ったという1930年代の模写と見比べてみても、線描の欠失は顕著である。また現在の玄室内は、壁画保護のためのガラスが設置されているため、壁画の質感や四神図の迫力を生で体感することができない。壁画の保存と公開という矛盾を解消し、人類の貴重な遺産を正しく共有・伝承するためにも、正確で質感を伴った壁画の複製が可能となれば、非常に有意義であるといえるだろう。

（染谷香理）

江西中墓《朱雀》
想定復元模写
2点とも、東京藝術大学蔵
模写制作：杉村眞悟＋染谷香理

壁面模写からクローン文化財へ

江西大墓・中墓の模写の歴史は、高句麗古墳の発掘初期の1912年に遡る。当時東京美術学校図案科助教授だった小場恒吉と日本画選科生の太田福蔵が、ランプや反射鏡を駆使し、主に水彩絵具を用いて壁画を写し取ったのである。これらの模写は日本に持ち帰られ、現在東京大学と東京藝術大学に所蔵されているものがそれにあたるとされている。

その後、壁画模写は朝鮮総督府博物館によって本格的に計画され、小場氏によって1930年代に再度行われる。この時は石室内に白い紙を垂らし、鏡の反射を利用して外光を取り込むことで詳細に模写を行ったという。これらは水彩絵具と岩絵具を併用して描かれ、韓国の中央国立博物館に所蔵されている。

また壁画の所在する平壌市内にある美術館には、現地の画家により描かれた模写が展示されているほか、1980年代に行われた大規模事業により制作された模写が東京都小平市にある朝鮮大学校に所蔵されている。

このように発掘から100年以上の歳月をかけ繰り返し模写が行われてきた江西大墓・中墓であるが、これまで花崗岩に刻まれた凹凸や、その質感に迫った同素材・同質感の可搬性のある模写制作には至っておらず、東京藝術大学保存修復日本画研究室で詳細な模写技術の研究開発が行われた。そしてその技術は東京藝術大学初の特許取得につながった。

①マチエールの検討
現地調査の際に採取した花崗岩を参考に、マチエール制作を検討した。

②本紙の準備
オリジナルの壁画は下地層を持たず花崗岩に直接描かれているが、可搬性を考慮し、強靭な和紙に滲み止めのドーサ、補強のための裏打を行い、本紙とした。

① 花崗岩

③下地の制作
最初の下地層として花崗岩を粉末にしたものと白色顔料を混ぜ、膠で溶き、刷毛で全体に塗布した。

④岩の凹凸の再現
オリジナルの壁画は花崗岩を人の手で切削してつくり出されているため、かなりの凹凸がある。その凹凸を再現するために、現地で採取した花崗岩から抽出したデータをもとにシルクスクリーンの版を制作し、花崗岩の粉末と方解末を混ぜたものに膠および増粘剤を添加したものを絵具とし、摺り下ろした。

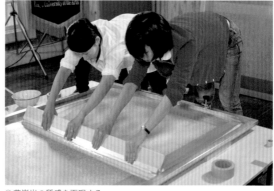

④ 花崗岩の質感を再現する

⑤印刷を行う

画像データ作成の基礎資料として、「高句麗会」から平山郁夫氏が譲り受けたという1980年代に撮影されたポジフィルムを使用した。これに、2006年に東京藝術大学保存修復日本画研究室が行った現地調査のデータを合成することで、原寸大高精細画像データを作成した。また同時に現地で作成した色カードをもとに色味調整を行った。完成したデータを凹凸が再現された本紙にインクジェットプリンタで印刷を行い、木製パネルに張り込んだ。

⑤-A 色カード

⑥手彩色

最後に画家による手彩色を行った。彩色に使用した顔料は、過去に行われた調査の報告書等を参考に同定を行い、オリジナルと同素材のものを使用した。仕上げの際は単にそっくりなものを作成するのではなく、四神図全体の躍動感、流麗で力強い線描、顔料の美しい発色など現地で体験した感動を大切にしながら行った。オリジナルの石室は、壁画保護のためのガラスが設置されており、湿度の影響でたとえ現地に赴いてもクリアな視界を得ることが難しい。しかしこのスーパークローン文化財制作は、四神図に囲まれる臨場感を持った石室の閲覧を可能にした。

(染谷香理)

参考文献
早乙女雅博(監修),『高句麗壁画古墳』,共同通信社,2005年

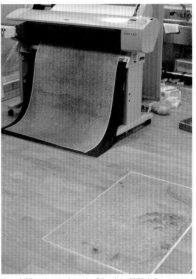

⑤-B 本紙にインクジェットプリンタで印刷する

⑥ 手彩色の様子

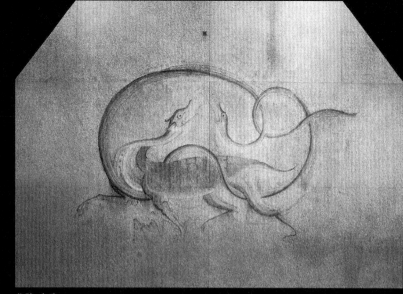

北壁 玄武

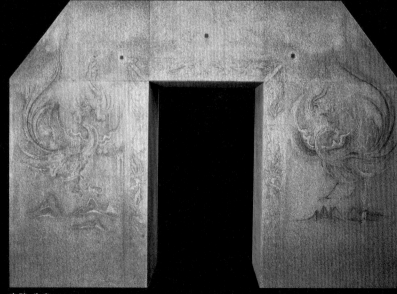

南壁 朱雀

玄武

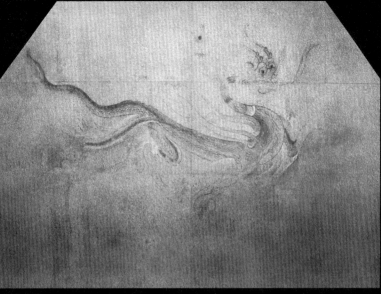

東壁 青龍

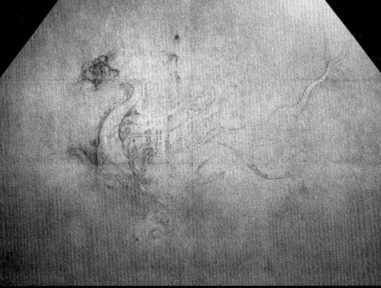

西壁 白虎

北壁　玄武(左)　東壁　青龍(右)　スーパークローン文化財

古典模写から特許開発へ

宮廻正明＋染谷香理

「いきうつし」という未来を纏った模写

日本には、古来より「うつし」という文化があり、「かげ」の中にも実態を感じ取ってきた。ところが現代では、「移し」、「写し」、「映し」といった漢字によって意味が限定されてしまったため、音だけによって感じとってきた心の揺らぎによる多様性が薄らいできている。優れたものを真似ぶ＝学ぶことで自らの芸術を高めることは、日本の教育の場でも、模写・模刻という形で受け継がれ実践されてきた。近代に入り、文物の破壊や海外流出の対策として、国家レベルでの模写事業が始まると模写の目的が学習より記録の方に重点が置かれるようになる。そこで、より正確に効率的にオリジナルを写すことができるデジタル技術が注目され始めるが、一方で、デジタル技法の導入は「感性は写し取れない」という先入観が根強く残っていた。しかし、現在では高精細印刷技術や2D・3Dの技術が急速に進歩しており、さらに伝統的な手作業を加えることでこれまで不可能と思われていた感性を写し取った新たな芸術作品＝クローン文化財となった。

　クローン文化財は特許を取得し、これが認められ科学技術者に与えられてきた「21世紀発明表彰」を芸術分野で初めて受賞した。長い年月をかけて伝統を織り込んできた縦糸の中に、現代という横糸を織り込むことにより、堅牢で美しい時代がよみがえっていく。こうして「いきうつし」という未来を纏った新しい模写が誕生した。

臨写法

手本になるオリジナル作品を隣に置き写し取っていく手法である。この方法は、模写の正確性よりオリジナルの内容的意義や精神を学習することに重きを置いている。

写真提供：東京藝術大学保存修復日本画研究室

上げ写し法

上げ写し法は日本でのみ行われている手法である。日本での模写方法の根底にあるのが、『源氏物語』などの文学作品に見られるような「いきうつし」の世界観である。「うつし」の中に生命の生まれ変わりを見出し、永遠の生命感を存在させようとする「うつし」である。芯になる棒に和紙を巻きつけ、原寸大に引き延ばした写真の上に置き、転がしながら残像効果を利用する。しかし、この方法は残像を頼りに写し取るため、修練の場としての意識が強くなりがちだという欠点がある。

特許の開発

書画の継承や普及、学習のために行われてきた模写は、次第に文化財の記録
や公開としても役割を果たすようになる[註]。人類共通の財産である文化財を
共有することは、近代になりより活発となるが、手作業で行う精密な模写制作
には、膨大な時間と人材が必要であった。また上げ写し法などで精細な模写
を行ったとしても、人の手による癖などを完全に取り払うことは困難である。
これらの理由と写真や印刷技術の発展も相まって、写真印刷よる精細で正確
な記録や複製画による文化財の活用が大いに応用されるようになった。しか
し高精細な写真印刷をもってしても、顔料の粒子感やその支持体の素材の再
現といった質感表現には課題が残った。このような人の手による模写と写真
印刷による複製画のそれぞれの欠点を克服するために開発されたのが、東京
藝術大学で取得した特許技術である。最先端デジタル技術と画家による東洋
絵画の古典技術を融合させることにより、質感を伴った高精度の複製画制作
を実現したのである。東京藝術大学で取得した特許は以下の3つである。

1 —— 壁画 (特許第4559524号)

壁画の質感表現を伴った複製画制作技術の開発は、2006年に行われた高句
麗壁画模写事業をきっかけに発案された。世界遺産にも指定されている高句
麗古墳群には多くの壁画が描かれており、その描かれた図像は我が国の文化
のルーツを知る上でも重要な壁画である。しかしながら壁画は建造物および
遺跡・史跡など不動産に付随するもので、移動しての展示公開が困難であり、
かつ保存の観点からも現地の狭い石室内を一般公開することが非常に難し
い。また完全に同一素材で壁画の下地から復元した場合、その重量が問題と

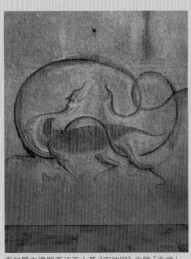

なった。そのため迅速で正確
に制作でき、持ち運びが可能
な複製画による壁画の公開と
文化の共有が望まれた。これ
らの問題を解決するために本
特許技術では、壁画の質感を
表現した薄い和紙の上に高精
細写真印刷を施すことで、軽
量化と質感表現の両立を可能
にした。これにより移動や展
示を容易にし、且つオリジナ
ルと同素材・同質感で制作さ
れた複製画の公開が可能に
なった。

高句麗古墳壁画江西大墓《四神図》北壁「玄武」
(部分) スーパークローン文化財

2——絹（特許第4755722号）

東洋絵画の多くは絹に描かれている。そして絹の種類は、絹の縦糸と横糸のそれぞれ太さや、絹の織り目の粗いものや細かいものまで無数に存在している。またそれらの違いは画面の風合いや時代性を大きく左右するため、絹目を再現した複製画の制作が望まれていた。しかしながら、これまで絹に描かれた絵画の多くは紙に印刷されてきたため、絹に再現した複製画制作技術を開発したのが本特許である。これまで絹に印刷が行われてこなかったのは、絹にそのままインクジェットプリンタで印刷を行うと、目の粗いものは絹を通してインクが抜け落ちてしまい、高精細な複製画の制作が困難だったためである。そのため本特許では、絹に伝統的に行われている裏彩色や裏打の技術を応用することによって、その問題を解決し、あらゆる種類の絹への印刷を実現して、オリジナルに近い風合いを再現することを可能にした。

上村松園《序の舞》（部分）クローン文化財

3——板絵（特許第5158891号）

板に描かれた書画の模写は、特に基底材である板が表面に露出している場合、同じ木目の板を用意することが困難であるため、紙に行うのが一般的だった。しかしながら、紙を基底材にした複製画では、どうしても板独特の風合いや質感を完全に再現することは困難である。本特許技術では、板と薄い和紙を組み合わせ、伝統的な表装技術と最先端デジタル技術を組み合わせることにより、板の質感を伴った高精度な複製画を実現した。

《醍醐寺板絵著色天部像》クローン文化財
（毘紐天妃部分）

註
松平定信による古画古物の模写事業にその萌芽がみられる。松平定信編『集古十種』（寛政12年）参照。

参考文献
東京藝術大学大学院文化財保存学日本画研究室編、『図解日本画用語事典』、東京美術、2007年
宮廻正明, 荒井経, 雁野佳代子, 『日本画名作から読み解く技法の謎』, 世界文化社, 2014年

日本
法隆寺金堂釈迦三尊像

Gold-Plated Copper Shaka Triad, the Main Hall, Horyuji Temple, Japan

奈良県北部に位置する法隆寺は我が国最古の木造建築群であり、1993年法隆寺地域の仏教建造物が、ユネスコの世界遺産（文化遺産）に登録され、日本で初めての世界遺産が誕生した。その金堂内陣の仏壇中央には、飛鳥時代を代表する彫刻である国宝釈迦三尊像が安置されている。7世紀に止利仏師によって制作された本三尊像は檜造りの二重宣字形須弥座上に坐し、またその頭上には華麗な天蓋が吊り下げられている。ブロンズ製の中尊、脇侍、大光背、小光背のそれぞれには緻密な彫刻が施されているものの、金堂内はほの暗く、像と鑑賞者の距離も遠いため、細部を鑑賞することは難しい。

　東京藝術大学は法隆寺ならびに文化庁より許可を得て、釈迦三尊像の「現在」の状態を同素材・同質感、原寸大で忠実に再現した（クローン文化財）。その経験と知識を踏まえて、飛鳥時代に制作された当初の黄金色に輝く「過去」の釈迦三尊像（スーパークローン文化財）、像全体が無色透明の光り輝く「未来」の釈迦三尊像（ハイパー文化財）の制作も行い、三体の釈迦三尊像が完成した。

　「現在」の再現だけでなく、先行研究を踏まえて「過去」の形を造形し、「未来」の形に昇華する新たな試みである。

3組の釈迦三尊像

法隆寺金堂に関係する文化財の制作は、2014年「別品の祈り──法隆寺金堂壁画」展の壁画制作で始まる。展覧会が始まったほぼ同時期に、釈迦三尊像の制作が、法隆寺、文化庁、東京藝術大学COI拠点の三者の合意で決まった。実際の制作は富山県と高岡市・南砺市の地場産業組合と藝大COIとの産官学連携事業のもと制作されることになった。そして2017年、東京藝術大学大学美術館での「素心伝心」展で最初の釈迦三尊像をお披露目することができた。ただし「素心伝心」展のカタログには、展示された釈迦三尊像の画像は掲載されていない。この像には当時我々が考えるクローン文化財にできることを多く盛り込んでいた。大きなものとして、大光背に喪失したと考えられる飛天を取りつけ、本尊に欠けていた螺髪全部、また白毫をつけ、左右の脇侍を逆に設置した。それは今考えると過去と現在が混在する不思議な造形になっていた。

その後我々の中でクローン文化財、スーパークローン文化財の考え方が整理されていった中で、創建当初の釈迦三尊像を復元するという計画が持ち上がった時には、もう1組の釈迦三尊像を鋳造し、それぞれのパーツを組み換えることで、2組の釈迦三尊像を完成させようということになった。「現在」像では法隆寺金堂にある像と同じ状態にした。次に「過去」像では、「素心伝心」展で展示した、螺髪、白毫の揃っている本像、飛天を取りつけた大光背を使い、左右の脇侍を入れ替え、全てを黄金に輝く像にし、最後に螺髪を群青で彩色した。2021年、長野県立美術館の開館展では「過去」「現在」を同時に展示し、違いをお見せすることができた。

さて2組の釈迦三尊像ができたことで、次に宮廻の考える「未来」を実現するプロジェクトが始まった。精神を継承するための未来の文化財＝ハイパー文化財とは何か？ 仏像は本来光によって人々を仏教の精神へと導くものではという命題のもと、姿かたちの見えない透明なガラスによる釈迦三尊像の制作である。当初大手ガラスメーカーとの連携で始まったが、成果の上がらないまま時が過ぎていった。そ

の当時私の研究室に所属する博士課程の学生に、ガラスを使った彫刻をつくる学生がいた。彼が関係していた桐山製作所に問い合わせたことでこの計画は動き出した。実験器具を制作する日本有数の企業であったが、工場としても今までやったことのない造形方法であったため、何度も話し合い、試行錯誤を

繰り返すことになった。結果、頭部・手・足は透明度の高いガラス造形で完成を見た。ただし体(着衣)や大光背の大型の部分は現在の技術ではしばらく時間がかかるということで、急遽、透明アクリルで造形することになり、制作できる会社を見つけ依頼をした。ガラスに比べると厚みがあるが、丁寧な表裏両面の研磨により、ガラスとの接合部の違和感をほとんど感じさせることなく完成することができた。最後に当初からあった頭部螺髪を通した光によって天井に映し出された模様が、宇宙を現すという構想も見事に表現されたのである。

(深井 隆)

クローン文化財「現在」の制作工程

①高精細3Dスキャナーによる撮影

クローン文化財「現在」を制作するにあたり、素材、製法、サイズすべてを忠実に再現することを目標とした。そこでまず、法隆寺金堂内陣に安置されている釈迦三尊像の形状を取得するため、金堂内に高精細3Dスキャナーを持ち込み、限られた時間の中で慎重に撮影を行った。基壇の上には多くの仏像が安置されているため、計測のための充分な空間が得られず、また大光背と小光背が重なる部分などカメラに写らない場所は計測すること自体が不可能であったため、データを取得できない部分が多くあった。

① 高精細3Dスキャナーによる撮影

②解析および3Dモデリング

撮影したデータは東京藝術大学に持ち帰り、パソコン上で解析作業を行った。前述のデータが取得できなかった部分については、過去に撮影された写真や文献を参照しながら3Dモデリングで補った。

② 解析および3Dモデリング

③原型の3Dプリント

完成した3Dデータを3Dプリンタにて出力し、鋳造のための樹脂原型を制作した。当時、高精細な出力は20〜30cm程度のサイズでのプリントが最大値であったため、3Dデータを細分化し3Dプリントした後、全てのパーツを接着し原型を完成させた。

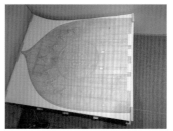

③ 3Dプリントした大光背の原型

④ロウ型鋳造

本プロジェクトは富山県との連携事業であったため、ブロンズの工程は伝統工芸高岡銅器振興協同組合が振り分けた工房によって、造形物それぞれの特徴を鑑みて最適な鋳造法が選択された。中尊を含むほとんどのパーツは、釈迦三尊像が制作された当時から存在する伝統的な鋳造法であるロウ型鋳造法にて鋳造された。

④ ロウ型鋳造

⑤ガス型鋳造

大光背には精密な装飾文様が多く見られるため、精度が高く複雑な造形に向くガス型鋳造法が用いられた。

⑤ ガス型鋳造

⑥割り出し

⑦鋳物の修正、仕上げ

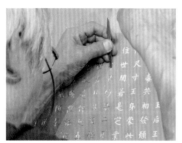

⑧銘文をタガネで彫る

⑨緑青仕上げ

⑩手彩色による仕上げ

⑥割り出し
鋳込みが終了し、冷却したら外型を剥がし表面についた残骸や湯道などを取り除いた。

⑦鋳物の修正、仕上げ
鋳込んだままの鋳物の表面は、本物と比べかなり荒れた状態である。加えて、3Dプリントの原型からの鋳造は、積層痕や接合の歪みなどが多くあり、手作業による修正が必要であった。工芸科出身の研究員により形状に合わせたキサゲやヤスリ等を特注し、芸術家の感性で仕上げを行った。

⑧大光背裏面の銘文
大光背の裏面には、造像の銘文が記されている。時期は当時なのか後に彫られたものか諸説あるようだが、東京国立博物館に収蔵されている銘文拓本を参考に、高岡の職人が彫りタガネを使用して再現した。

⑨緑青仕上げ
ブロンズが仕上がったところで、現状の釈迦三尊像の色を再現した。金鍍金が多く残る脇侍は鍍金業者に外注し、その他の部分は緑青仕上げを施し、一部金箔仕上げを加えた。

⑩手彩色による仕上げ
現状の釈迦三尊像の姿を完全に復元するべく、絵画の専門家が最後に全体を手彩色で補い、完成させた。

⑪ 台座制作

⑫-A 台座塗装

⑪台座制作

木部台座も富山県の木彫の街、南砺市の井波彫
刻共同組合の職人が制作した。檜製。請花および
反花は、樟で彫刻してある。

⑫台座塗装

木製台座を原本に忠実に再現した。まず全体を
黒を基調にした漆仕上げにし、側面や框には文
様を描き入れた。その後経年変化に合わせ古色
仕上げを行い完成させた。

⑬天蓋

釈迦三尊像の上部には、天蓋が吊るされている。
天蓋本体は檜製であり、彩色が施され、樟による
菩薩像や鳳凰の彫刻が取りつけられている。ここ
では天蓋下部の再現を行った。菩薩像はデータ
が得られなかったため、鳳凰のみ模刻により再
現したものを取りつけている。垂飾の円柱状の
ビーズは樟で制作し、彩色、球体は色ガラス、最
下部の鈴型はブロンズ製である。

（阪上万里英）

⑫-B 完成した台座

⑬-A 鳳凰の彫刻

⑬-B 天蓋下部の復元

スーパークローン文化財「過去」の制作工程

①螺髪・白毫の復元

現存する中尊の螺髪は、経年によりその多くが失われている。また頭部前部の欠落部分を補うために元々後頭部についていた螺髪が充てがわれており、並び方は制作当初と大きく異なっている。そこで、現在の頭部に残る螺髪から3種類の螺髪を3Dプリンタで出力し、原型として銅合金で鋳造したものを、頭部にひとつずつ取り付けた。

白毫の造形は釈迦如来坐像（飛鳥大仏）を参考にした。また専門家の意見を踏まえ、水晶で制作することとし、より輝きを感じるよう額に接する面には胡粉を塗布した。

① CGによる螺髪の復元

②大光背飛天の復元

大光背の周縁には、左右それぞれ13個、計26個の穴が空いている。この穴にはかつて飛天が配されていたという、1970（明治40）年に美術史家平子鐸嶺が唱えた説に基づき、造形当初の形状と素材を想定し、実装検証を行った。

飛天の形状は、特徴が似通っている、重要文化財・法隆寺献納宝物 N196号《光背》（東京国立博物館蔵）を基本資料とし、造形年代が比較的近く画像資料が存在する他の飛天の実例も参考とした。素材には、天蓋の装飾に用いられた銅板、台座の連弁に用いられた樟、像と同じ銅の鋳物の3種類を想定し、それぞれ3Dモデルの制作を通して検証を行った。

② CGによる大光背飛天の復元

③銅板による飛天の復元

銅板による復元では、釈迦三尊像の両脇侍が立つ蓮弁と同じく、切り抜いた銅板に曲げ加工で立体的に造形した。厚み2mmの純銅板を糸鋸で切り出し、毛彫りタガネで細部を彫金した。

③ 銅板による飛天の復元

④樟による飛天の復元

樟は霊木として重宝され、飛鳥時代の木彫に多く用いられている。柔らかく加工が容易であり、銅鋳造したものに比べて軽量だが、一方で火災などが原因で完全に消失してしまう可能性をもつ素材である。3Dモデルをもとに切削機で切削したものを、手作業で修正し金箔仕上げとした。

④ 樟による飛天の復元

⑤銅鋳造による飛天の復元

⑤銅鋳造による飛天の復元

前述の東京国立博物館蔵の重要文化財を参考に
3Dデータを作成し、3Dプリントしたものを原型と
し、成分を同じにした材料を用いて鋳造を行った。
今回は最終的に銅鋳造による飛天を採用したが、
大光背の穴の周囲に金属を差し込んだ際に見ら
れるであろう痕跡が残っていないことから、その
他の素材や手法を採用していた可能性も考えら
れる。

⑥鍍金の復元

⑥-A 鍍金の再現（電気メッキ）

造像当時の釈迦三尊像は水銀と金の合金（アマル
ガム）によって鍍金されていたと考えられてい
る。水銀アマルガムを用いた鍍金は、金を大量の
水銀に溶かして、鋳造した像の上に塗布し、火で
あぶって水銀を蒸発させ、金メッキとする方法で
ある。現代でこれほど大きな像を水銀アマルガ
ムによって鍍金することは、環境や人体への害を
考えると実質不可能に近い。そこで造像当時の
鍍金の風合いにするためにはどのような金の仕
上げを施せばよいか、大光背の化仏を用いて下
記のふたつの方法で検証を行った。

⑥-B 鍍金の再現（箔押）

ひとつはジュエリーの金メッキによく使用され
る、電流を用いたメッキ法である。金を溶かした

⑦ 釈迦三尊像への箔押

⑧ 手彩色

溶液に化物を浸して、純金（24金）を付着させた。もうひとつは漆を塗り、金箔（1号箔）を貼って仕上げる方法である。水銀アマルガム鍍金のような少しマットで上品な質感が再現できるため、最終的に後者の方法が採用された。

⑦箔押

釈迦三尊像に箔を押すにあたり、事前に像の表面にウレタン塗装を施し、箔と金属の密着性を上げる下準備を行った。箔押しは専門の職人に依頼した。

⑧彩色

文献をもとに、螺髪を群青で彩色した。また、中尊にかすかに残る目や髭を墨と朱を用いて描き入れた。

⑨脇侍の配置

現状の脇侍は、天衣の外側が短く内側が長くなるように配置されている。形状としては外側が長いほうが自然に見えるため、本来は現状とは逆に配置したかったのではないかという仮説が以前より存在する。我々もその説を採用し、左右の脇侍の配置転換を行った。　　　　　（加藤大介）

⑨ 脇侍の配置

ハイパー文化財「未来」の制作工程

①素材と技法の選択

古の人々は仏像で光と宇宙を表現したかったのではないかという仮説をもとに制作がスタートした。光輝く「未来」の釈迦三尊像を制作するにあたり、透明素材でつくられた中尊の内側から強い光線を頭部に照射し、上方の空間を照らし出すことで、頭上に宇宙や星雲のような光を映し出せると想定した。そのための素材は、透明度が高く、経年変化の少ないガラスと考えたが、脇侍、光背を含めた全体はおろか中尊の全身すら、その大きさと複雑な形状からすべてをガラスで制作することは困難であると判明した。そこで中尊の頭部と両手のみをガラスで、それ以外の部分（大光背、脇侍、小光背含む）は3Dデータから透明アクリルを切削し、それらを組み合わせることとなった。

「過去」の釈迦三尊像制作のために作成した樹脂原型から、頭部と両手の新たな原型を制作した。その原型でガラス型吹き用の頭部石膏雌型をいくつもつくり、吹き込み実験を繰り返した。最終的に、高温と吹き込み圧に耐え得る、耐火石膏を用いた二重構造の石膏雌型を採用した。

②ガラス吹き込み

東京西日暮里にある、理化学ガラス機器製造において高い技術を持つ桐山製作所の協力を得て、ガラスの型吹きを行った。透明度の高いホウケイ酸ガラスを原料とした円筒状のガラスを満遍なく加熱し、石膏雌型に貫通させて挿入後、吹き込みを行った。吹き込みはコンプレッサーによる機械的な吹きに加えて、職人の口による吹きで細かく調整した。この際、高温と圧力が大きく耐えきれずに型が破断したり、逆に足りずに形が充分に転写されなかったりと、幾度も試行錯誤を繰り返した。最後の吹き込みで出てきた形も、顔面の細かな造形が現れていなかったため、再度顔面部分の石膏型を作り直し、追加の吹き込みを行い完成とした。

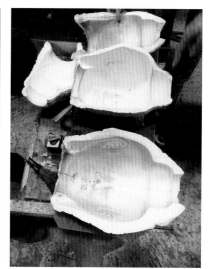

① ガラス吹き用の石膏型

②-A 石膏雌型に貫通させる

②-B ガラス吹き込み

③ バーナーワークによる造形

③バーナーワークによる造形

本像の手は、型吹きの技法では制作が困難であることが判明したため、桐山製作所の職人によるバーナーワークで造形した。高い技術力により、指先の爪まで正確に再現することができた。

④ガラスの螺髪

大小含め約600個の螺髪を、職人の手によるバーナーワークで一つ一つ制作した。螺髪の接着は透明シリコーンで行い、「過去」の釈迦三尊像を参考に、配列は俵積みとした。

④ ガラスの螺髪

⑤アクリルの切削

透明アクリル材の規格サイズに合わせ中尊は12パーツ、脇侍は各13パーツに分割し、小光背は一体で塊から切削加工を行った。中尊の身体については、先にガラスで制作した頭部および手と隙間なく接着させるために、3Dスキャンを活用することで接続部分の形状を決定した。また、見る角度によって接着面がはっきりわかるため、ある程度正面性を意識して分割を行った。切削加工は1パーツ毎に固定のための治具を制作し、大型の5軸加工機で行った。最後に表面が透明になるまで手磨きを行い、接着面が広いために混入した気泡についても液状のアクリル材を注入し磨き上げた。

⑤ アクリルの切削

⑥大光背の制作

大光背については分割せず、アクリル板を熱し曲げ加工を行った後に切削加工を行った。

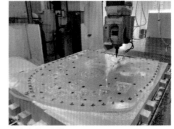

⑥ 大光背の制作

⑦光背の接着

脇侍の背に小光背を固定することができないため、大光背と小光背を接着することとした。

⑦ 光背の接着

⑧光の検証

釈迦三尊像の螺髪から光が発せられ、天蓋に宇宙や曼荼羅を思わせるような模様を描く。透明釈迦三尊像の制作の背景には、そのような光景を実現させたいという思いがあった。この実現に向けて、螺髪自体を発光させるか、離れた位置から光を当てるか、2通りの方法を考えた。前者は検証実験で多くの問題があったため、後者の案で取り組むこととなった。まず中尊の下から頭部に向けて照明を当ててみたところ、直接光が当たるごく一部の螺髪からは光の屈折模様が現れた。しかし天蓋に映った小さな屈折模様の周囲は、首などの干渉によりほとんどの範囲で影となってしまった。そこで、光を首の穴に干渉させることなく頭部に抜けて投光させるため、舞台用の超狭角のムービングライトを導入した。さらに、首を抜けた光線が螺髪全体へ拡散するよう屈折率を計算したレンズを作成し、首内に挿入した。その結果より広い範囲の螺髪に光が当たり、曼荼羅を思わせるような光の屈折模様を映し出すことに成功した。

（加々見太地）

⑧ 光の検証

日本
法隆寺金堂壁画
Mural Paintings, the Main Hall, Horyuji Temple, Japan

国宝釈迦三尊像が安置されている法隆寺金堂内の外陣には、飛鳥時代(592-710年)に描かれた壁画が存在していた。釈迦説法図や阿弥陀説法図など、仏の周囲に菩薩や飛天などを配した構図の大壁(高さ約3.1m、幅約2.6m)4面と、八大菩薩を描いた小壁(高さ同、幅約1.5m)8面の、大小壁12面からなる。この金堂壁画には、仏菩薩の着衣に施された陰影や鉄線描とよばれる抑揚をつけない均一な線で描く技法が見られ、中国を経て伝わったインド・西域美術の影響をうかがい知ることができる。

世界的な傑作とされる壁画群は、金堂解体修理中であった1949年1月26日の火災により焼損した。現在は、金堂の扉から中を覗き込むと、格子の向こう側の堂内は、本尊である金堂釈迦三尊像とともに1967年に描かれた再現壁画模写によって彩られている。本プロジェクトは、スーパークローン文化財の技術を通して、より高精細な壁画の再現を目指し、法隆寺金堂内の祈りの空間を再現した。また、焼損前からさらに時代を遡り、絵具の剥落や顔料の経年変化を復元した壁画の制作も試みている。

金堂を荘厳する壁画は
なぜ描かれたのか

法隆寺金堂壁画は、哲学者の和辻哲郎が『古寺巡礼』（1919年、岩波書店）の中で「この画こそは東洋画の絶頂である」と、1916（大正7）年5月に見物したときの印象を書き留めている。手元にある岩波文庫（第6版1980年1月）では235頁から248頁に亘り写真四葉を含め、その素晴らしさを称賛している。

　法隆寺金堂壁画は、金堂の外陣大壁4面に描かれる四方四仏と小壁に描かれる八大菩薩の計12面及びこれら壁面の上方と6ヶ所の扉に設けられた棋間壁に描き連ねられる禅定比丘（山中羅漢）18面、そして釈迦三尊等仏像諸尊を安置する内陣の上方小壁に描き巡らされる飛天20面の都合50面の多きを数える。

　しかしながら、金堂壁面のうち外陣の大小壁12面は1949年1月26日の火災で損傷を受け、現在は同じ

く損傷した建築材と共に組み立てられた収蔵庫に別置保存され、外陣棋間壁の禅定比丘18面は焼け落ち、断片となり箱に納めて同じく収蔵庫に収納されている。内陣の飛天20面は幸いにも金堂の解体修理の進行にあわせて、取り外されていたため難を逃れた。

　壁画の制作年代は、金堂が再建された時期とも関連し、俄かに決め難いが、おそくとも五重塔や中門が完成し、西院伽藍の堂宇が整う711（和銅4）年までには描き終わっていたものと考えられている。

　抑、壁画50面は飛天図のように同じ型を使い、また八大菩薩のように型を反転し、手間暇のかからぬよう工夫はされているが大事業である。この大事業を私寺である法隆寺一帯の平群郡を根拠とする中小の氏族で支援ができたかどうか。また、壁画諸尊の

平面図

［左］第2号壁　菩薩像（焼損前再現）
クローン文化財
［右］第3号壁　観音菩薩像（焼損前再現）
クローン文化財

像容や表現描写が中国中央のそれらを想起させる仏画の粉本が入手できたか否か。矢張、国、朝廷の援助や働きかける中心となる人物がいなければ不可能ではなかったか。

そこで33年間中断していた第八次遣唐使が702（大宝2）年に派遣され、帰国は704（慶雲元）年をはじめ707（慶雲4年）年、718（養老2）年にわたるが、彼らの請来品の中には壁画の粉本となるような絵画類も含まれていたことは想像に難くない。

また、前年の701（大宝元）年に大宝令が施行され、中務省に「画工司」が置かれ、「画師四人」と、「画部六十人」もの画工が配されることになる。想像を逞しくすれば、「画師四人」は主任格の画師として金堂壁画の四方四仏を担当したような優れた画師を想定したかもしれない。

では、金堂壁画の制作を8世紀初頭まで下げてみることができるかどうか。まず、拠り所となる描かれた表現からみると、そのひとつに西の第6号壁阿弥陀説法図の背景に描かれる懸崖が挙げられる。その阿弥陀三尊の背後に迫る懸崖は板を重ねたように表現されていて、極めて特徴がある。その鋭角の岩の表現は中国の画論では「氷澌斧刃」（水流に浮かぶ断氷や斧の刃）と形容されている。金堂壁画ではこの岩の

表現が余程見込まれたとみえ東の第12号壁十一面観音の岸壁、栱間小壁の禅定比丘の画中さらに第6号壁阿弥陀説法図を除く、東の第1号壁釈迦説法図、北の第10号壁薬師説法図、同じく第9号壁弥勒説法図の手前左右に描き加えられた獅子の蹲る岩座までにもみられる。この岩の表現は、中国では中央の懿徳太子墓々道西壁の闕楼図（中宗神竜2年）、同東壁儀伏図（中宗神竜2年）の背景に描き添えられた岩に近く、金堂壁画に新しい岩の表現として受け入れられたものであろう。

次に、注目されるのが表現描写である。これも第6号壁阿弥陀説法図の阿弥陀如来にみられる鉄線描と凹凸画法である。すなわち阿弥陀の円い尊顔や両手で転法輪印を結ぶ手指を肥痩のない張り詰めた線で描出し、着衣も鉛丹で塗り、衣文線に沿ってベンガラで隈をつけるが、衣文線に近いところを濃くし、段々に薄くし、これを繰り返すことで遠くから見ると凹凸があるように見える賦彩である。この鉄線描は中国の画論・寺誌に「用筆緊勁　屈鉄盤糸のごとし」と形容され、凹凸画法の賦彩は壁に描かれた「変形の三魔女　身は壁より出ずるがごとし」と形容され、いずれも西域出身の画家尉遅乙僧が善くした画法として記載されている。尉遅乙僧が活躍したのが唐代

［左］第4号壁　勢至菩薩像（焼損前再現）
クローン文化財
［右］第5号壁　菩薩像（焼損前再現）
クローン文化財

の女帝則天武后（在位叡宗嗣聖7年～中宗神竜2年）の頃である。したがって、第6号壁阿弥陀説法図からは、中国の中央で用いられていた画法が新しい描写表現として逸早く取り入れられ、習得し、明快で清冽な画趣を醸し、高い画格と確かな画筆を看取することができる。

しかるに、四方四仏のうち第1号壁釈迦説法図、第10号壁薬師説法図、第9号壁弥勒説法図は同形で諸尊十三軀で表わされるが、第6号壁阿弥陀説法図では図様が全く異なり、阿弥陀三尊を中心に背景の岩山と手前の蓮池に散在する化生菩薩22軀と化生童子三軀の25軀で表される。この図様は天竺の鶏頭摩寺の五通菩薩の故事に依って描かれている。故事は、五通菩薩が極楽浄土に往き、阿弥陀に往生を願う衆生に娑婆世界に仏の姿を見せて貰うよう願ったところ、願いが叶い五通菩薩が娑婆世界に還ったところ、一仏五十菩薩が既に各々蓮華に座し樹葉にいた、という話である。金堂壁画ではこの故事をアレンジして五十菩薩の半分の二十五化生菩薩、童子で表現されている。この阿弥陀菩薩三尊五十菩薩の図様は敦煌第332窟東壁南側に描かれていて遠近に流布していたようである。

ただし、第6号壁阿弥陀説法図で特に異なるところ

は、阿弥陀が蓮華座に結跏趺坐するのに背がインド・グプタ式の豪華な背障を背負っていることである。背障は主に如来が腰掛ける椅像に着くもので、あるいは第10号壁薬師説法図の椅像についていたものを阿弥陀説法図を立派に見せるために敢えて背障を移し描いたかもしれない。蓮華座に大理石を思わせる背障がつくはずもないからである。

四方四仏の中で第6号壁阿弥陀説法図が特別な図様であることは、壁画制作の中心に阿弥陀信仰者であった橘三千代（天智4年頃～天平5年）が関わったのではあるまいか。金堂壁画の中で最高傑作と目されるように一番に優れた画師が彩管を揮った可能性もあろう。三千代のために。

橘三千代は15歳頃、氏女として出仕し、阿閉皇女（のちの元明天皇）の官に配属され、以来、持統・文武・天明・元正と歴代の天皇に女官として仕える中で政治力を培い、宮廷において絶大な影響を持つに至り、加えて676（持統10）年ごろに刑部親王らと大宝律令の撰修に当った藤原不比等（斉明5年～養老4年）と再婚することでより政治力が増したこともあろう。逆に不比等が三千代の政治力を利用したことが考えられるほどである。

橘三千代の政治力もさることながら、三千代が生

[左] 第7号壁　聖観音菩薩像
（焼損前再現）
クローン文化財
[右] 第8号壁　文殊菩薩像
（焼損前再現）
クローン文化財

来もっていた仏教、特に阿弥陀如来に対する厚い信仰心、さらに女人の無量寿国への往生を説く聖徳太子（敏達4年〜推古30年）への追慕、そして太子と等身の釈迦三尊像を祀る法隆寺への帰依があったればこそ、金堂を荘厳する壁画が制作されることになったように思われる。

釈迦三尊像に込められた願い

金堂内陣の仏壇中央に安置される釈迦三尊像は檜造りの二重宣弥形須弥座上に坐す。青銅製（ブロンズ）の釈迦如来の光背裏面に34cm²の正方形内に14字14行にわたり、平らな面に楷書の書法で整然と印刻され、文体は四六駢儷体で表され、造像記に必要な内容が196字にピッタリ収まるように表されている。内容は次のようである。

621（推古29）年12月に聖徳太子の母（穴穂部間人皇女）が亡くなり、翌622（30）年正月21日に太子ついで王后（膳妃）ともに病に倒れ床に着かれたので、王后王子等諸臣は深く悲しみ、ともに発願する。すなわち三宝に依って釈迦像を太子と等身で造り、この発願によって病気を転じ、この世に永え、宿命で亡くなられたときは浄土に往生し、悟りを得ることを。しかし、発願の意かなわず2月21日に王后（膳妃）が

亡くなり、翌日太子も亡くなられた。そこで623（推古31）年3月中頃、発願通りに釈迦像と侠像、荘厳を造り終えた。この微福により皆が在世中は安穏で、死なば彼岸を供にし、苦縁を脱し菩提に赴くことを願う。司馬鞍首止利仏師をしてつくらせた。

法隆寺内で聖徳太子と等身でつくられた尊像は東院夢殿の救世観音菩薩立像があり、像高は179.9cmである。ちなみに坐像の釈迦如来像は像高87.5cmである。

いずれも、飛鳥彫刻を代表する尊像であるが、釈迦如来像は通印を結び、台座に懸かる裳を含め二等辺三角形に収まる左右対称の安定した像容で、顔はやや面長で肉髻が高く、目は杏仁形に切り、唇は受け口にして口元に微笑を浮かべる。このアルカイックスマイルがえもいえない神秘性と崇高性をたたえ、大きな魅力となっている。

（有賀祥隆）

※2017年に東京藝術大学大学美術館で開催したシルクロード特別企画展「素心伝心―クローン文化財 失われた刻の再生」図録の文章を再掲載した。

［左］第11号壁　普賢菩薩像
（焼損前再現）
クローン文化財
［右］第12号壁　十一面観音
菩薩像（焼損前再現）
クローン文化財

制作ノート Process

法隆寺ガラス乾板を併用した大型壁画の再現

岩や石、土によってできた支持体・基底材の上に直接描かれた壁画を復元するとき、描かれた絵画と模様や色がまったく同じ壁面を用意することは困難である。また、法隆寺金堂壁画のような大きな壁面を作成しようとすると、衝撃などで割れないようにするために、十分な厚さが必要となってしまい、重量化が避けられない。このように、取り扱い・運搬・展示などに支障をきたしていた壁画の復元に対して、絵画が描かれた壁と同様の質感（マチエール）を紙のような薄く軽量な素材を用いて表現できたことは、国内外の多くの人が法隆寺金堂壁画内の空間を体感する機会を創出する。

①もととなる画像の制作
焼損前に撮影されたガラス乾板写真やコロタイプ印刷のモノクロ高精細画像にカラー画像を合成し、全体のベースとなる画像を作成する。高精細カラー画像が残されていた部分は、ベースとなる画像に違和感のないように合成し高精細画像を作成する。

①-A ガラス乾板写真画像   ①-B カラー画像   ①-C 高精細画像（合成後）

②図像を起こし、色を合わせる
法隆寺金堂壁画の肉身の線描は、朱墨と呼ばれる墨と朱の絵具を混合したものを用いた鉄線描である。鉄線描とは、肥痩のない一定の太さの線描である。朱墨を用いてゆっくりと溜め込みながら線を引くことで、緊張感のある鉄線描の中に、墨と朱の比重の違いによる滲みが生まれる。線描をデジタル技術で鮮明化させると同時に、線の表情をデジタル上でも表現した。

② 朱墨による鉄線描

③支持体をつくる

さまざまな手漉和紙や印刷用の和紙を用いて試作を行い本紙を選定した。最終的に3mを超える作品となるため、本紙を補強する裏打という作業を行う。裏打には可逆性のある生麩糊（しょうふのり）という、古くから日本の装潢（そうこう）（表具）で用いられる純粋な小麦粉澱粉を煮た糊を使用する。生麩糊で貼った裏打紙は、水で湿度を与えることで剥がすことができるため、将来的に修理が必要となったとき、貼り替えが可能となる。法隆寺金堂壁画は土壁に白土が塗られていることから、オリジナルと同質の白土などを用いて土壁のマチエールを再現する。

手彩色（顔料）	
高精細印刷	
白色顔料	
本紙	
裏打紙（補強）	
袋張り	
木製パネル	

③ クローン文化財の断面図

④印刷しパネルに貼り込む

マチエールを再現した紙にプリンタで印刷した後に紙継ぎをし、木製パネルに貼り込む。パネルには、将来的に修理が必要となった際に、本紙を着脱しやすいように袋張りを行った。このような後世の保存修理に配慮した可逆性に優れた伝統的な装潢技術を用いることで、クローン文化財が次世代へと継承可能な作品となる。

④ 貼り込み作業

⑤手彩色

同素材・同質感の彩色を実現するため、最後に岩絵具による手彩色を行った。日本画に用いられる岩絵具は、粒子が乱反射することで煌めき、特有の物質感が生じる。絵具の厚みやキワの強弱によって、存在感やそれらを取り巻く空間を表現しなければ、絵画の印象は大きく異なってしまうため、彩色には細心の注意を要した。そこでオリジナル本来の絵画性を把握し、形態や運筆の方向性から描かれた対象の位置関係を判断し、彩色を施す必要がある。たおやかな蓮の動きや、穏やかな風の流れなど、どこを強めて、どこを弱めるかによって、壁画のリアリティが変わってしまう。こうした、クローン文化財としての正確性だけでなく、古典絵画のもつ芸術性を再現する最後の手彩色が、一番困難かつ技術を要する仕事である。

（林 宏樹）

⑤手彩色

模写と写真からつくる スーパークローン文化財

先人の模写と写真ガラス原板写真から復元を目指す

法隆寺金堂壁画のスーパークローン文化財の制作は、さらに時代を遡った状態を形にした。欠失した亀裂部分をデジタル上で修正し、失われた線描や彩色についてもデジタル上で復元作業を行なう。失われた線描は、残された赤外線写真を用いることで鮮明に見ることができる場合がある。また、焼損後の壁画からは、火災の熱による顔料の変色により線描が浮かび上がり、形を確認することができる。失われた彩色は、顔料分析の資料と焼損前に模写され

た作品を参考に復元していく。復元では、確かな資料をもとにした学術的な裏付けがなければ、オリジナルとはかけ離れた創作になってしまう危険性が伴う。歴史的証跡に関わる図像や使用された材料に関する事実は、後世に誤って伝えてしまうことがないように進めなければならない。また、彩色方法や技法に関する表現の解釈は、先人の描いた古典絵画の研究をもとにしつつも、最終的には制作者の技術や感性が試される。平面的になりやすい彩色や鉄線描の質感をデジタル上で再現するために、ほとんどアナログ作業といっても過言ではない時間と根気を要した。

（林 宏樹）

A もとのデータ

B 亀裂や欠失部を埋めた状態

C 線描を復元

D 彩色を復元

第6号壁　阿弥陀三尊二十五化生菩薩・童子図
（焼損前写真　画像提供：株式会社便利堂）

第6号壁　阿弥陀三尊二十五化生菩薩・童子図
（焼損後写真　画像提供：株式会社便利堂）

第6号壁　阿弥陀三尊二十五化生菩薩・童子図
クローン文化財

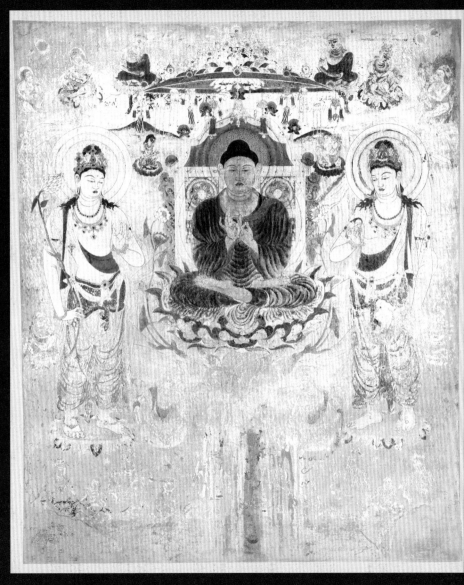

第6号壁　阿弥陀三尊二十五化生菩薩・童子図
スーパークローン文化財

暗号資源としての文化財──クローン制作の意味するもの

伊東順二

2019年4月4日、都心の最も新しい再開発地・大手町プレイスがオープンした。私の東京藝術大学COI拠点文化外交アートビジネスグループはNTT都市開発とその中で開設した「OTEMACHI ART LABORATORIES」で、クローン文化財を今までとは異なる手法の展覧会企画をもって展示した。「異なる」とは、この展覧会が、時として複製同様にみなされることもあるクローン文化財の真の意味を掘り下げるために、あえてクローンが背負う作品との同一性から脱却してオリジナルの作品から逸脱した形でその価値を問うことを目指していたからである。

作品はピーテル・ブリューゲルの名作として知られる《バベルの塔》。先行して描かれた同名の作品に比して「小バベル」と呼ばれるもので、2017年にオランダ政府ならびに所蔵するボイマンス美術館の許可を得て東京藝術大学社会連携センターCOI拠点でクローン文化財として制作したものであるが、展示として今回取り上げたものはその世界を3DCGとして展開した作品である。

展示空間はその作品をたどる螺旋形の誘導路の中で、言説、建築、作曲が同時進行するとともに、AIエンジンが作品からもたらされるキーワードを出発点にネット上でアクセスできる情報を多言語で無限に収集していくというものである。つまり、この展覧会は静的なものは一切ないし常に更新される情報をもとに日々変形していく。観衆は目まぐるしく更新されるプロジェクションによって鑑賞するという立場から共同行為者としてそこに参加するという位置に自らを動かしていく。私の企画は文化財自体の価値変化。現在の物理的価値交換に囚われる美術品の価値をそれが生み出す情報量に交換することをコンセプトにした。言い換えれば美術品の外形的認識から情報的認識に体験を変える試みである。たとえれば感性のブロックチェーンのように存在する芸

九州芸文館

術作品の存在構造を解き明かすと言ったほうがいいかもしれない。

　文化財の認識を固定したものから動的なものに変更していくこと。そもそも、そのことが10年前東京藝術大学で宮廻正明氏から文化財の科学的完全再現への実験の説明を受け、20号サイズの江西中墓朱雀の再現を見たとき感じたことだった。修復を超えた保存概念を生み出すだけでなく、もし完全に再現できるものならば、そしてそれが現代に過去のものだけでなく現在的価値を創出できるものであれば、文化財の価値はただ単に歴史的なものだけでなく現代にも生きうる生命をもつのだということを指摘しうることになるだろう。

　結果、宮廻氏に建築家・隈研吾東京大学教授(当時)と創設を準備していた福岡県の九州芸文館プロジェクトに参加を請い、敦煌莫高窟壁画、北朝鮮江西大墓壁画、法隆寺金堂壁画を再現していただくことになり、隈氏設計の可動壁面により現在も生きた姿を観客に提示しシルクロードの記憶を呼び覚ましている。

　その後、宮廻氏の依頼で法隆寺釈迦三尊像完全再現プロジェクトコーディネーターを務め、現代にも継承する鋳物技術をもつ富山県高岡市で職人コンソーシアムを組織し、2年をかけて3Dモデリングという最新技術から鋳物技術という伝統的継承へ通常の時系列を逆転させる試みをともにすることができた。

　バベルプロジェクトを含め、このクローン文化財プロジェクトは、単なる再現・復元モデルの制作ではなく、そこに科学的根拠、情報集積、伝統技術の革新、そして歴史認識の再検証を組み込むことで、文化財を継承する意味とその共時的価値を問い直すものだと信じている。

九州芸文館プロジェクトでの展示風景

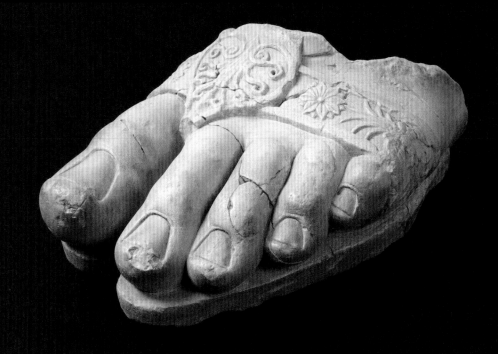

《ゼウス神像左足断片》クローン文化財

アフガニスタン
ゼウス神像

Statue of Zeus (god of war), Afghanistan

　紀元前3世紀頃のものとされるゼウス神像左足断片は、アフガニスタン北部のアイ・ハヌム遺跡の中心部に位置する神殿跡で発見された。《ゼウス神像の復元》は、この遺物をもとに近接した時代の類似作例を参照し、像の失われた部分を想像力によってよみがえらせたスーパークローン文化財だ。

　「ゼウス神像左足断片」が履いているサンダルの甲バンドに刻まれた雷霆（稲妻文）がゼウス神を象徴する武器であること、また発見された神殿跡に残された礎石と祭壇の跡から推測される神殿の建築様式も、ゼウス神を祀る神殿の類例と合致するものであったことから、ゼウス神を表した彫刻の断片であると推測した。

　復元にあたってはまずこの像が保管されている平山郁夫シルクロード美術館にて3Dスキャンを行い、取得した正確な3Dデータからクローン文化財を制作。さらにペルガモンのゼウス大祭壇が収蔵されているドイツのペルガモン博物館と新博物館、パルテノン神殿のふもとにあるギリシャのアテネ国立考古学博物館にて撮影調査を行い、「ゼウス神像左足断片」から彫刻全体の大きさ、姿勢、装束などの具体的な意匠とともにその威厳のある佇まいを構想するための参考資料とした。

《ゼウス神像の復元》スーパークローン文化財

制作ノート Ｐｒｏｃｅｓｓ

失われたゼウス神像

平山郁夫シルクロード美術館には数多くのイスラーム、ガンダーラ美術と共に紛争の災禍を逃れた流出文化財が保管されている。2015年8月、日本で保護・保管されている流出文化財102点のアフガニスタンへの返還が決定された。これに伴い返還前最後の国内展示として東京国立博物館で開催された特別展「黄金のアフガニスタン 守りぬかれたシルクロードの秘宝」に先駆け、美術館に保管されていた流出文化財の3Dデータ化とクローン文化財を制作、さらにスーパークローン文化財として失われたゼウス神像のかつての姿を復元する彫刻チームのプロジェクトが始まった。

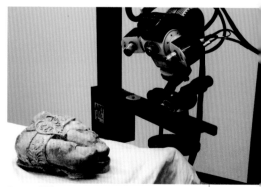

①-A 3D計測

①3D計測
3Dデータを取得するため3Dスキャンを行い、アイ・ハヌム遺跡から出土したゼウス神像左足断片を計測した。3Dスキャンには1/100mmという精度の三次元測定機(smartSCAN)を使用。センサーの死角となってスキャンできない形状は、データ上に穴として残る。そこで3D編集ソフトを使い、形状に合わせた曲面ですべての穴を埋めていった。

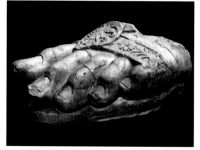

①-B 完成した3D計測データ

②3Dプリントのためのデータ処理
3Dプリントのためのデータ処理を行った。3Dプリントには素材に応じてさまざまな造形方法があるが、基本的にはデータを薄くスライスし、その断面の形でプリントした層を積み重ねることで立体として出力される。穴を埋めただけのデータの内側には空洞が全くない状態であるため、出力には多くの素材と時間が必要となる。《ゼウス神像左足断片》のように、比較的大きな立体の出力ではコストが嵩んでしまう。それを回避するためデータに厚みつけという処理を行い、表面から一定の厚みの内側に空洞がある状態にした。

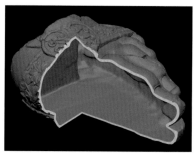

②3Dプリントのための厚みつけ

③手彩色
3mmの厚みをつけて3Dプリンタで出力したものに、セメントを流して重さをつけた。最後に細

③彩色、仕上げ

かい凹凸とともにアクリル絵具による彩色を施して、出土品特有の風合いを再現することでクローン文化財が完成した。

④復元へ
次にスーパークローン文化財、《ゼウス神像の復元》の制作を行った。世界には歴史的文化財として数多くゼウスの偶像が存在するが、《ゼウス神像左足断片》と同じ紀元前3世紀頃まで遡ると現存しているものは限られる。同時代では古代ギリシャの国々で製造された硬貨の図柄や、マグネシアのゼウス坐像などがそれにあたる。

⑤考察
こうした参考資料に加え、さまざまなゼウス神像を念頭に置いて復元像を考察する。まず《ゼウス神像左足断片》から推測される足全体のサイズが約50cmとすると、立ち姿の高さは5mを超える像となる。装束は多くのゼウス神像に倣い一枚布を腰に巻き、布の端を肩にかけた姿とした。またこの遺物の素材である大理石が、アフガニスタン北部に位置するアイ・ハヌムにおいて希少であったこと、足の断面が自然に割れたのではなく切断された形状をしていることなどから、肌としてあらわになる部分だけに大理石が使われており、その他の部分はアフガニスタンで出土した多くの彫像と同様に、粘土やストッコ（化粧漆喰）など現地で得やすい素材でつくられていたのではないかと思われる。姿勢については仮に立像であった場合、大理石でつくられたであろう肌の露出している上半身を、粘土でつくられた下半身で支えることになってしまうため、構造的に考えにくい。さらに足の小指が浮いていることからも完全に体重がかかっていない姿勢、つまり坐像であったと考えるのが自然である。復元像の素材には主に軽量で造形しやすい発泡スチロールを使い、造作の細かい部分には石粉粘土を使用した。

⑥仕上げ
足と胴には大理石の粉末と合成樹脂を混合したもので大理石特有のマチエールをつけた上に、アクリル絵具で彩色を施して大理石彫刻のもつ独特な色彩を再現した。ストッコでつくられたとされる布の部分には細かい凹凸をつけて、肉体部分との質感の違いを表現した。

（布山浩司＋工藤湖太郎）

④ マグネシアのゼウス坐像（ペルガモン博物館）

⑤ 復元制作風景

⑥ 完成した《ゼウス神像の復元》（左）と《ゼウス神像左足断片》（右）

《ゼウス神像左足断片》からの創造

深井 隆

オリンポスのゼウス神像の想像図

平山郁夫氏が主導した「文化財赤十字」構想のもと、保護した「アフガニスタン流出文化財」の中に、北部の遺跡、アイ・ハヌム神殿跡から発見された《ゼウス神像左足》の大理石彫刻がある。左足の半分の断片で30cmほどのものである。サンダルを履いていて、その甲ベルトの稲妻紋からギリシャ神話の全能の神ゼウスと推察されている。同時に発見されたのは大理石の指だけでその他は見つかっていない。ギリシャ文明の流れを汲む彫刻がはるか離れたアフガニスタンで発見された訳だ。当時の文化交流の広大さには驚かされる。この像は、当地が東西文明の交差点と言われる証でもあろう。また大理石は砂漠の地アフガニスタンでは大変貴重な素材であり、このゼウス神像は、足、手、そして頭部以外はストゥッコなどの当地伝来の素材でつくられていたと考えられているという。その頭部は、おそらく持ち出されてしまったのであろう。アフガニスタンのゼウスはどんな顔立ちだったのかと勝手に夢想している。

2016年4月「素心 バーミヤン大仏天井壁画〜流失文化財とともに〜」が東京藝術大学大学美術館・陳列館で開催されることになり、バーミヤン東大仏天井壁画のスーパークローンによる復元とともに、アフガニスタン各地に由来する多くの「流失文化財」も、クローン文化財・スーパークローン文化財の技術で制作、展示されることになった。《ゼウス神像左足断片》も、3Dデータ測定・3Dプリント・彩色、という手順で復元された。それと同時にこの足をもとにゼウス神像の全身をスーパークローン文化財として制作し、展示されることが決定され、立体チームに託された。

そのためまずは、ゼウス神像の概要を知ろうと、2015年12月、ドイツ・ベルリンのペルガモン博物館、ギリシャ・アテネ国立考古学博物館、パルテノン神殿、新アクロポリス博物館の視察を行なった。

ペルガモン博物館には、館名に由来するペルガモン王国から運ばれた巨大な「ゼウスの大祭壇」がある、そこは世界有数のコレクションを誇る博物館群として知られている。ここでは美術館の隅にあった、(我々のおぼろげに考えていた)ゼウス神像に近いものを写真に納めることができた。一方ギリシャ・アテネ国立考古学博物館には、ギリシャ美術の中でも一級品の(ブロンズであるが)ゼウス神像(ポセイドン像とも言われている)がある。事前に許可を取り綿密な撮影をした。ここでも片隅にあった大理石のゼウス神像の撮影をしている。ゼウス神像は数多く制作されていたと実感した。パルテノン神殿は建築家であり彫刻家のフェイディアス

の手によるものである。古代ギリシャの数学者フィロンは、当時の偉大な建造物を世界七不思議として選んでいるが、その中にオリンピアのゼウス神像があり、これもフェイディアスの作と言われている。このゼウス神像は現存していないが、幾つかの図像が残っている。高さ12mの坐像であり、象牙で覆われ金を随所に使用していたと記述されている。

　詳細な視察を終えると、ギリシャ神話の全能の神、ゼウスにまつわるさまざまな解釈を念頭に制作に取りかかった。まずは現存する左足前部から、ゼウス神像のサイズを決めた。次に少しつま先を上げている遺品の足から、左足をさげ右足を前に出して坐っている姿にした。そして腰までは布に覆われ上半身は裸のトルソー

アンティキティラのゼウス坐像（アテネ国立考古博物館）

パルテノン神殿

にと、多くのゼウス神像のスタイルを踏襲した。頭部や腕をあえてつくらなかったのは、イメージが固定され、足に視線がいかなくなることを避けようと考えたからである。布の表現は視察で見つけたゼウス神像や、オリンポスのゼウス神像の想像図などを参考に、ストゥッコの素材感を表現したつもりである。

　ペルガモン博物館の「ゼウス大祭壇」は、エーゲ海を挟んだ対岸のトルコ西部ペルガモン王国から運ばれた。そこはギリシャ、ヘレニズム期文明の文化圏である。大理石は、ギリシャやイタリアから多く産出されると思われていると思うがトルコは現在も一大産地である。以前、エーゲ海からはかなり離れたトルコの都市エスキシェフルに滞在し彫刻を制作したことがある。そこでは大理石は産出していないと思われたが、この街の美術大学では大理石彫刻を中心に制作していた。もちろんアフガニスタンの地まではまだまだ遠い、ゼウス神像をつくった大理石をどこから運んだかはわからないが、アフガニスタンまで貴重な材料を運んだことの大変さを、小さな《ゼウス神像左足断片》の遺品から思いを巡らせ、歴史を感じることができた。

　彫刻チームはこのゼウス神像以降多くのクローン文化財、スーパークローン文化財、ハイパー文化財を制作してきた。未来の仏像として制作されたガラス（アクリル併用）の法隆寺釈迦三尊像、その螺髪から光が放たれ、天井に映し出された渦巻きは星座のように輝き、宇宙を意識させる。敦煌莫高窟57窟の初唐様式に変更した本尊、脇侍。マネ《笛を吹く少年》の画面から飛び出した彫刻、そして新たに脱活乾漆像。これらの像は多くの真摯な検討を重ね、想像力、革新性と、時に失敗を乗り越えて完成したものである。課題が多い分、完成したときの喜びもひとしおであった。

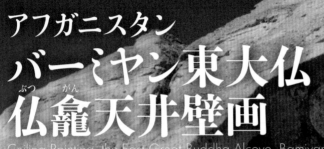

アフガニスタン
バーミヤン東大仏
仏龕天井壁画

Ceiling Painting, the East Great Buddha Alcove, Bamiyan, Afghanistan

[写真左] 破壊される前のバーミヤン
東大仏立像。頭上に天井壁画が描か
れている。1997年11月撮影
（画像提供：ロイター＝共同）

[写真右] 破壊されたバーミヤン東大
仏立像の跡。天井壁画も失われた。
2016年12月撮影
（画像提供：ニューズコム／共同通信イメージズ）

　2001年3月、戦争の最中、バーミヤン遺跡の大仏が爆破される映像がテレビで報道された。巨大な文化財の破壊という衝撃的な映像を、どこか遠い出来事かのような文面や写真ではなくリアルタイムの動画で目の当たりにしたことは、多くの人々の記憶に残る大変ショッキングな出来事であった。

　現在バーミヤン遺跡の東大仏は破壊され天井壁画も失われているが、我々は、その仏龕（ぶつがん）の天井に描かれていたバーミヤンの象徴でもある《天翔ける太陽神》を復元することに取り組んだ。

　各国が失われたバーミヤンの復元に挑むなか、オリジナルに近い約7m四方という、実寸大に近い大きさでの復元制作は、海外で報道される程とても大きなインパクトがあり、これによりデータさえ残されていれば失われたものを復元できることを証明することにもなった。そして、この活動は2016年G7伊勢志摩サミットでも紹介され、テロリズムによる文化財破壊の無意味さを提唱する一助となっていった。

　また、破壊以前には体感できたであろう大仏の頭頂から眺める現地の景色を撮影した4K映像を、再現した仏龕前の巨大スクリーンに映し、その壮大な景観を眺めながら在りし日の天井壁画を体感できる臨場空間をつくり出した。

1970年代に撮影された写真をもとに制作した復元図
※京都大学、東京文化財研究所所蔵の写真を元にしている

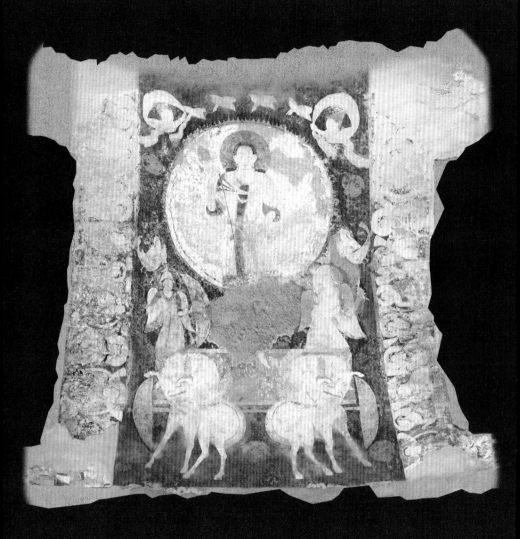

2016年東京藝術大学COI拠点による想定復元図
※京都大学、東京文化財研究所所蔵の写真を元にしている

よみがえったバーミヤン壁画
《天翔ける太陽神》

バーミヤン遺跡全景白描図

在りし日のバーミヤン壁画

アフガニスタンはシルクロードの重要な要衝のひとつであり、まさに西と東の文化が混ざり合う交流地点である。バーミヤン遺跡群には東と西の大仏があった。東大仏は38m、西大仏は55mの像の高さであり、その巨大さが上記の図からもうかがい知れるが、現在大仏はほとんど残っておらず、無残な姿で仏龕のみが残されている。

　大仏の破壊以前、東大仏の横には大仏頭部のちょうど真裏へとつながる道があり、大仏の頭上に登ることができた。そして、この真上には太陽神を意味する天井画が描かれ、これはアフガニスタン発祥と考えられているゾロアスター教(拝火教)の太陽神ミスラであった。4頭の翼を持った天馬が曳く黄金の馬車に乗って現れ、槍を持ち大きな日輪を背に天を割いて現れる姿が描かれている。両脇には翼を持つ勝利の女神ニケとギリシャの軍神アテナ。画面上部には4羽の白い鳥ハンサが飛び、大きく布を膨らませた風神がいる。一番外側には王侯貴族や仏陀、有力な寄進者などが描かれている。壁画は大仏の頭上に描かれユーラシア大陸のさまざまな文化が融合し、お互いが尊重しあい存在している平和な世界であったことがうかがわれる。このような素晴らしい壁画が失

われてしまったのである。

　1970年代に京都大学や名古屋大学はバーミヤンへ幾度となく調査隊を送り、世界のなかでもバーミヤン研究に突出し大きな成果を上げていた。こうした経緯もあり、京都大学人文科学研究所の樋口隆康氏をはじめとする調査団が撮影した15,000点近くの中判ポジフィルムや、平山郁夫氏が文化財難民として日本へ避難させたバーミヤン遺跡から流出した壁画などを含む103点もの文化財、そして大仏の破壊後にドイツ・アーヘン工科大学の調査団によって計測された広域の3D計測データを使用して、東京藝術大学COI拠点が進めてきたデジタルとアナログの融合によってつくり出すスーパークローン文化財の復元制作に挑むこととなった。

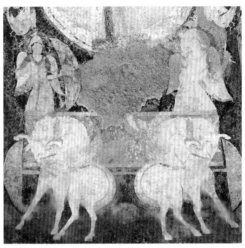

太陽神の頭上には4羽の白い鳥ハンサと大きく布を膨らませた風神がいる

ギリシャの軍神アテナと勝利の女神ニケ、香炉と松明を持つゾロアスター教の神官が脇侍に配されている

よみがえった壁画

壁画は自然環境の中吹きさらしであったため、1920年代の初期調査にあった記録と比較すると壁面が剥がれ落ち劣化していることが見て取れた。復元制作では1970年代に撮影された写真データから失われた個所をできる限り復元するよう試みた。

　天井壁画に用いられた鮮明な青色は、バーミヤンではラピスラズリという鉱石を砕き粉状にして接着剤と混ぜ用いられていた。青色は昔から高価であったため如来や菩薩の髪の毛やマリアのマントなど重要な箇所に用いられてきたが、その高価な絵具を天井壁画では大量に使用していることからも当時のバーミヤンの隆盛は容易に想像できよう。この鮮やかな青色を通じて復元によりよみがえったバーミヤン壁画《天翔ける太陽神》と、巨大スクリーンに映し出された現在の夏のバーミヤン峡谷の真っ青な空の映像が揃って初めて、失われる前の壁画の姿が現れたと考える。

　そして、流出文化財として日本で保存してきたものがアフガニスタンに返還された2016年に、この天井壁画が東京藝術大学大学美術館・陳列館にて展示された。先人達が情熱に駆られてバーミヤンの地に赴き残した貴重なデータは、現代の3D計測などのデジタル技術によって活用されてよみがえり、展覧会では多くの人びとに大仏の頂上から臨む雄大なバーミヤン渓谷を体感してもらうことができたのではないだろうか。展示中はこの再現空間にとどまり変わりゆくバーミヤン峡谷の四季の映像を、かつての仏像の天頂部から眺め続ける人々の姿が印象深かった。なかでも、JICAの協力のもと将来のアフガニスタンを担う在日アフガニスタン人留学生たちがこの天井壁画を鑑賞し、自国の文化を心に刻むことができたことは、大変意義のあることであったように思う。

　しかし、パルミラのような異教徒の文化遺跡を破壊する攻撃は今もなお続いている。我々が行う失われた文化財をクローンとして復元する活動が、こういった行為の無意味さを訴えかけるメッセージとなれば幸いである。

（並木秀俊）

バーミヤン東大仏 仏龕天井壁画の復元

①画像の収集と合成

壁画のもととなる画像には京都大学人文科学研究所撮影のものから150点を選出し、これに東京文化財研究所に保管されていたポジフィルム32点を加えてバーミヤン東大仏仏龕天井壁画の復元のもととなる画像をつくり出した。分割撮影された画像を1枚の画像となるようソフトウェアで合成した。

天井壁画の構造はアーチ状の曲面になっており、大仏の破壊後にアーヘン工科大学の調査団によって計測された広域の3Dデータから、平面の展開図をつくり出した。これを参考に画像の歪みを修正しながら繋ぎ合わせもととなる画像をつくり出した。

①-A 集めた画像をつなぎ合わせ一つの画像にする

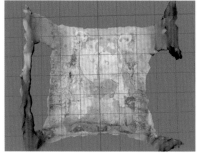
①-B 3D計測データに画像を貼り込む

②縮小版壁画の制作

約7m四方の巨大な制作物となるため、画像合成したが、高精細スキャンデータであっても鮮明な画像をつくり出せず、絵画としての魅力が失われていた。そこで、制作する最終的なサイズの約半分に縮小した壁画を一度完成させ、再度その壁画を高精細撮影することで、最終出力のサイズでも鮮明に見える解像度を得られた。特許技術で質感を伴った縮小印刷をした後、オリジナルの壁画でも使用されていたと思われるラピスラズリなどの顔料を用いて彩色をし、破壊される前の鮮やかな色まで復元することができた。

②-B 青色鉱石のラピスラズリを細かく砕いた絵具を使用する

②-A 印刷し貼り込んだ縮小版に彩色をする

③構造のシミュレーション

壁画の土台となる構造は3D計測データを用いてつくり出す。このデータにより、爆破後のアーチ状の形状は大きく変化していないこと、またわずかにねじれて中心部が大きく凹むなど複雑な形状であることがわかった。

構造となる立体を組み合わせて表面の壁画を覆うように、アーチ状の形状にして仮組みをソフトウェア上で行う。展示会場では重量を支えるため4つの柱も違和感のない形で付け加え、必要となる材料の量を算出していった。

③-A 龕頂に描かれた壁面はわずかにねじれて中心部が大きく凹んでいる

④壁画の構造の制作

大仏の天頂に描かれた壁画は本来見上げて鑑賞するため、最終的に天井に持ち上げて展示することを考慮し制作に取り組んだ。オリジナルは岩壁でつくられているが、重量や組み立て直すことを考慮し、構造体には高密度で軽く切削しやすい難燃性の発泡スチロールを用いた。壁画全体で50パーツに分割できるように制作し、すべてが入る部屋で床一面に広げ3D計測データやポジフィルムを参考に微妙な凹凸まで削り出していく。削り出した後、壁画が描かれた部分のみ石粉粘土を塗り平滑な面をつくり出した。

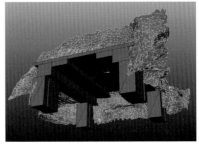

③-B デジタル上で最適な構造体の配置を検証する

④-A 床に発泡スチロールを広げ3D計測データをもとに構造を削り出す

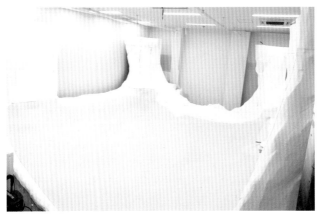

④-B でき上がった構造体に下地を塗りつける

⑤壁画の制作

東京藝術大学では仏像破壊後にアフガニスタンから流出した壁画を修理・保管していた。壁画の質感を再現するにあたり、この流出文化財の断片に対して熟覧調査と試作による比較を繰り返すことで、オリジナルに近い質感の再現ができ

た。縮小版の印刷と同様に和紙に白土や胡粉といった顔料を使用し、壁画の微妙な凹凸をつけプリンタで刷り出していく。巨大な画面であることから1枚が幅約0.9m×長さ約3.5mのものを10枚刷り、繋いでひとつの画面にする。印刷した紙を正確な位置に確認しながら、糊で貼りつけていく。紙と壁面の間に空気が残らないように横からライトなどを当てて確認し、隣り合う画像が重なるよう意識しながら貼りつけ、刷毛でなでて密着させていく。

⑤ 壁画表面の質感を再現した紙に復元した画像をプリントする

⑥仕上げ

仕上げはラピスラズリなどの天然の顔料による彩色を施し、絵画部分以外の岩肌に土を塗りながら質感を手作業で再現していく。それに加え、文献や研究書を参考に図様をより鮮明にし、破壊によって失われた部分の復元も試みることで破壊前の色鮮やかなオリジナル壁画の姿に限りなく近づけたと考える。完成した天井壁画はパネルに貼り込まれており、巨大な金属製のトラス（三角形に組まれた骨組みの構造物）に釣り上げる形で展示することとなった。大人数での設置の後、接合部が見えなくなるように壁画と同じ紙で補修し完成とした。

（並木秀俊）

⑥-A オリジナルの壁画の質感に近づけるよう、彩色し細かな凹凸まで手作業で再現していく

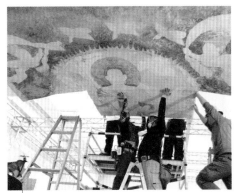
⑥-B トラスに復元した壁画を吊るしていく

⑥-C 50パーツをつなぎ合わせ、接合部が見えなくなる
よう補修し完成となる

バーミヤン東大仏仏龕天井壁画《天翔ける太陽神》 スーパークローン文化財

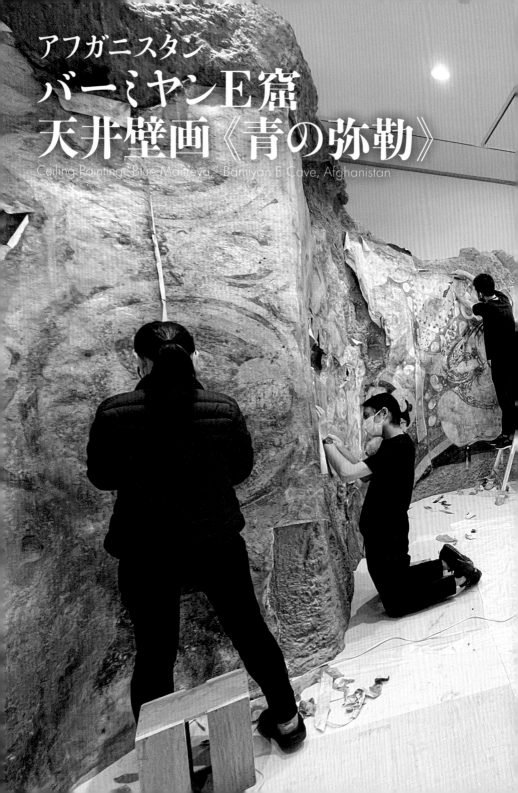

アフガニスタン
バーミヤンE窟
天井壁画《青の弥勒》
Ceiling Painting "Blue Maitreya," Bamiyan E Cave, Afghanistan

　2001年に破壊されたのは東西大仏にとどまらず、東大仏の西側にあったE窟もまた、座仏および窟の天蓋を飾っていた壁画もろとも一瞬のうちにその姿を奪われてしまった。《青の弥勒》と呼ばれたありし日の壁画には、端正な弥勒の姿、そして背景にはその名の由来ともなったアフガニスタン特産の青い鉱石ラピスラズリがふんだんに用いられていた。

　《青の弥勒》の姿を現代に伝えるのが、1970年代に京都大学、名古屋大学、成城大学などの日本の調査隊が現地を訪れた際の記録写真だ。本プロジェクトでは、その資料をもとに最新の技術を用いて壁画を原寸大で再現、さらに図像は制作当初により近づけた姿を復元した。また、高さ約3m、幅約6mの壁画は、本来窟の天井部に描かれているが、スーパークローン文化財では天井が鑑賞者の正南になるよう90度回転させて展示することで間近に鑑賞することを可能にした。

　かつて、シルクロードの中継地として繁栄したバーミヤン渓谷に存在した至宝。今はなきその姿をシルクロードの終着点であったこの日本でよみがえらせることとなった。今なお混乱が続く国々とも、その昔は国境を超えた文化の交流で互いに通じ合っていた。そして、物や形が奪われようとも、心によって文化遺産はその形を取り戻すことができる。

制作ノート Process

乾いた風が雄大な渓谷に広がる草木の葉を撫で、軽やかな音を奏でる。険しく切り立つ山々を背にした岩壁に800を超える窟が点在し、その中のひとつE窟に《青の弥勒》はある。窟の中へと踏み入れば人為とは思えぬ巨大な仏像が悠々とそびえ、その足元からゆっくりと頭上へ視線を動かすと、どこまでも続く青空に目を眩まされるやいなや、鮮やかな色彩を湛えた天井壁画に圧倒される。初めてありし日の壁画の姿を写真で目にした時、そうした崇高な情景が脳裏に広がったのだった。

《麗しの菩薩》とも呼ばれたこの壁画が、今や現地へ赴いても見られないことなど信じがたく、心より悔やまれる。

《青の弥勒》の復元制作を開始したのは 2019年7月だった。2016年に同じくバーミヤン石窟の東大仏仏龕天井壁画《天翔ける太陽神》を復元した経験を踏まえつつ、特に構造についてはより精度を上げるための工夫が思案され、主に壁画の本体を制作する立体班と、壁画の図像を制作する平面班に分かれて復元を行った。

悠久の人々がどのように岩壁を穿ち、そして天井画を描いたのか。プロジェクトが進み制作上の壁に当たるたび、当時の人々が要したその膨大な労力と時間に思いを馳せることとなった。

① カラー写真とモノクロ写真をデジタル上で合成

② 各部分の画像をつなぎ合わせ、壁画の全体図を作成

①写真を合成する

1970年代に京都大学の調査団が撮影した15,000点近い中判ポジフィルムや、東京文化財研究所に保管されるポジフィルムから、E窟を写したものを選出。

これらを原寸出力に適した解像度に近づけるため、図像を色彩とともに伝えるカラー写真と、より図像が鮮明に視認できるモノクロ写真をデジタル上で合成することで、可能な限り精度の高いデジタル画像をつくることに成功した。

②全体像をつくる

各部分の画像をデジタル上でつなぎ合わせ、壁画の全体図を作成した。写真は壁画に対する撮影角度がすべて異なり、空を仰いで逆光で撮られているため光の調子も一定ではない。これらを修正しつつ図像をつなげる試行錯誤を経て、まずはデータ上で破壊前の《青の弥勒》の全貌が現れた。

③-A 1970年代に撮影された写真をもとにした復元図

③-B 東京藝術大学COI拠点による復元図（2021年）

③復元図

ありし日の壁画には、すでに図像が失われていた部分があった。今回の復元プロジェクトでは、破壊前当時からさらに時を戻し、より鮮明に図像が残されていた頃の様子を復元することを最終目的としていた。そこで、前田耕作氏（アフガニスタン文化研究所所長）監修のもと、同時代の弥勒像やバーミヤン石窟に残る他の弥勒像を参照し、破壊前の《青の弥勒》ではすでに失われていた、交脚して水瓶を持つ姿を復元した。

そして、復元した全体図のデータをさらに原寸での制作に耐える解像度にするため、一旦60％の縮小版を印刷して細部を加筆し、補って再度高精細撮影することで高解像度のデータを得た。

④和紙に出力

ここまでに作成した2Dの全図を立体にするため、展開図の各パーツに再編し壁画表面の質感を再現した和紙に出力した。巨大な構造体上でつなぎ合せていく際には、データ編集での誤差が大きなずれになりかねないため、適宜試行を繰り返しながら立体と画像の整合を図るべく綿密な確認と編集が必要だった。

④ 2Dの図を壁画表面の質感を再現した和紙に出力

⑤3D再現

京都大学の調査隊による計158枚の写真を用い、フォトグラメトリという技術でE窟の3D再現を行った（協力：アトリエ55）。これは物体をさまざまな方向から撮影した写真をコンピュータで解析し3Dデータをつくり上げる技術だ。寸法については、破壊後に行われた現地計測のデータ（提供：株式会社パスコ）をもとに、3Dデータに実寸のスケール情報を与えることで抽出した。

⑤ E窟の3D再現

⑥データ上での復元

現存する写真資料はすべて窟を仰ぎ見るような角度・画角で撮影され、頭部後背などの充分な資料がなかった。画像が存在しない箇所は3Dデータ上では欠損となり、画像の少ない部分は精度が劣るデータになる。こうした箇所はデータ上での復元作業を行った。

また、窟内部は破壊前の時点ですでに壁画面の半数以上が剥がれ落ち、岩肌が露出していた。また、岩肌には漆喰を保持するための心棒を入れた穴がところどころ開いており、凹凸が激しいことがわかる。天井壁画中心近くに存在する大きなえぐれなどは図像を復元するに伴い埋めることとした。

⑥-A データ上で欠損部分を復元する

⑥-B 画像の少ない部分や窟内部の大きなえぐれなどは図像を復元した

⑦18パーツに分割

今回の復元は、主となる天井壁画を間近で鑑賞できるよう、壁画が残っている部分（座仏の肩を基準に上部）のみを、90度回転させた状態で行うこととなった。美術館等展示のための運搬・設置が可能となるよう、全18パーツに分割した。搬入時の利便性を考え、小さいパーツの上に大きいパーツを載せる構造とした。

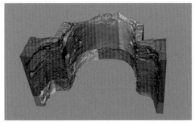

⑦ 運搬・設置が可能となるよう、全18パーツに分割

⑧発泡スチロールの削り出し

基礎となる構造体は、密度が高い難燃性の発泡スチロール素材を使用した。完成した3Dデータをもとに3軸NC加工で発泡スチロールを削り出し、人の手による仕上げを加え造形を完成させた。

⑨壁面の作成

発泡スチロール表面には樹脂を用いた土壁層や、白色顔料による壁画表面層を作成。壁面の質感を再現するにあたっては、東京藝術大学にて修理・保管されていたアフガニスタン流出文化財の壁画を参考にし、熟覧調査と試作による比較を

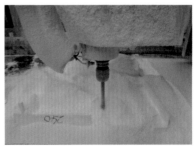

⑧ 3Dデータをもとに発泡スチロールを削り出す

ジュニア版 もっと知りたい世界の美術

A4変型判　各64頁　オールカラー

8 国芳と仙厓
金子信久 監修／3,300円

7 レンブラントとフェルメール
高橋明也 監修／3,300円

●好評既刊…『1 北斎と広重』『2 ゴッホとゴーガン』『3 若冲と応挙』『4 ピカソとマティス』『5 レオナルド・ダ・ヴィンチとミケランジェロ』『6 宗達と光琳』

もっと知りたいシリーズ

アート・ビギナーズ・コレクション

シリーズ最新刊!!

充実のラインナップは裏面をご覧ください⇒

版元と画家が丸となり伝統を超えて新しい表現に挑んだ版画芸術の金字塔

もっと知りたい
川瀬巴水と新版画
滝沢恭司 著
2,200円

波乱の人生を越えて才能を発揮し、庭園制作を建築、家具、日系米国人彫刻家

もっと知りたい
イサム・ノグチ
新見 隆 著
2,200円

比叡の山で千二百年最澄の教えを受け継ぎ僧たちが守り続けた奇跡の法灯

もっと知りたい
延暦寺の歴史
久保智康・宇代貴文 著
2,200円

新しい表現を求めて荒行のように描き続け巴里に散った比類なき輝き

もっと知りたい
佐伯祐三
熊田 司 著
2,200円（予価）

暮らしのあり方を考え「ほんとうの世界」を伝えようとした彼らの熱意がここにある

もっと知りたい
柳宗悦と民藝運動
杉山享司 監修
2,200円

かわいい&あやしいシリーズ

A5判　112～128頁　オールカラー

かわいいジャポニスム
沼田英子 著／1,980円

かわいい絵巻
上野友愛・岡本麻美 著／1,980円

●好評既刊……『かわいい印象派』『かわいい ルネサンス』『かわいい ナビ派』『かわいい 妖怪画』『かわいい 禅画』『かわいい 琳派』『かわいい 浮世絵』『かわいい やきもの』『あやしい ルネサンス』『あやしい 美人画』

■好評既刊

『もっと知りたい **ミロ**』
松田健児・副田一穂 著

『もっと知りたい **アイヌの美術**』
山崎幸治 著

好評既刊

すぐわかる
中国の書
古代～清時代の名筆
可成屋 編
2,200円 ★

すぐわかる
日本の装身具
「飾り」と「装い」の文化史
露木宏 監修・著
宮坂敦子 著
2,200円

日本の婚礼衣裳
寿ぎのきもの
長崎巌 編著
2,500円

谷崎潤一郎をめぐる人々と着物
事実も小説も奇なり
中村圭子・中川春香 著
2,530円

鳥獣戯画研究の最前線
東京美術比較ピルグリム叢書
土屋貴裕 編著
3,300円

方丈記
絵巻で読む
鴨長明 著
田中幸江 訳注
2,530円

清水寺のみほとけ
参拝ガイド〔英訳付き〕
清水寺 監修
根立研介ほか 著
2,200円

牧歌礼讃／楽園憧憬
アンドレ・ボーシャン＋藤田龍児
東京ステーションギャラリー
3,080円

浮世絵の基礎知識と主要な作品から構図を網羅した充実。初歩の浮世絵入門の決定版。

もっと知りたい
浮世絵
田辺昌子 著
2,200円

皇室とのつながりと真言密教の頂点。所蔵の宝物が語る優雅で厳粛な歩み

もっと知りたい
仁和寺の歴史
久保智康・朝川美幸 著
2,200円

モダンデザインのルーツがここに。世界の造形学校に影響を与えた

もっと知りたい
バウハウス
杣田佳穂 著
2,200円

悟りの境地を絵画や枯山水で表現。具現化された禅の心を読み解く

もっと知りたい
禅の美術
薄井和男 監修
2,200円

運慶と快慶ー。二人の天才を擁した鎌倉仏師の一大流派、その真髄と興隆の秘密

もっと知りたい
慶派の仏たち
根立研介 著
2,200円

最古の木造伽藍は仏像彫刻の源流を知る日本仏教の歴史を知る仏像の一大宝庫

もっと知りたい
法隆寺の仏たち
金子啓明 著
1,980円

天武から持統へー。天皇の願いを継ぎ、薬師如来が見守る里に今蘇る、白鳳の大伽藍

形やしぐさを読み解き、古代の暮らしを再現。はにわの魅力にどっぷりハマる！

もっと知りたい
はにわの世界
若狭徹 著
1,980円

相撲を取る蛙と兎。見るほど深まる謎。かわいいだけではないこの絵巻の愉しみ方

もっと知りたい
鳥獣戯画
土屋貴裕・三戸信惠 監修・著
2,200円

もっと知りたい
薬師寺の歴史
薬師寺 監修
2,200円

書の美を一変させた、真筆がなくても崇められる「神格化」ラプソディ

もっと知りたい
書聖王羲之の世界
島谷弘幸 監修
1,980円

一門の実力が見せつける、百花繚乱。天才・奇才の競演

もっと知りたい
狩野派
ー探幽と江戸狩野派ー
安村敏信 著
1,980円

遷都千三百年、古都の移ろいの中たたずみ続ける仏たちのまなざし

もっと知りたい
興福寺の仏たち
金子啓明 著
1,980円

鑑賞対象としての刀剣とその外装を美術史の文脈と知見で紹介

もっと知りたい
刀剣
名刀・刀装具・刀剣書
内藤直子 監修・著
2,200円

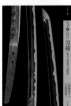

最大最強画派のカリスマ絵師と京の後継者たちの栄光と苦難

もっと知りたい
狩野永徳と京狩野
成澤勝嗣 著
1,980円

国よ民よ、安寧なれ！守り伝えられてきた創建時の精神と文化、その壮大な物語

もっと知りたい
東大寺の歴史
坂東俊彦ほか 著
1,980円

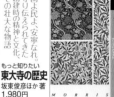

和歌や漢詩など意匠に施された知的なたくらみを読み解く喜び

もっと知りたい
やきもの
柏木麻里 著
2,200円

万巻の書を読み万里の道を行く…白娯の地に遊ぶ表現者たちの多様性

もっと知りたい
文人画
大雅・蕪村と文人画の巨匠たち
黒田泰三 著
2,200円

根本道場の諸尊、巨大空海が創出した新たな密教の世界観をみる

もっと知りたい
東寺の仏たち
東寺 監修
1,980円

ART BEGINNERS' COLLECTION

アート・ビギナーズ・コレクション

もっと知りたい シリーズ

B5判
72〜112頁
オールカラー

生涯や変遷をたどりながら各年代を特徴づける名作を鑑賞

自然への共感と人生に対する歓びを強い意志と熱情で描いた日本画の巨匠

もっと知りたい
横山大観
古田 亮 監修・著
2,200円

型破りな発想と自在に迫る絵筆 現代人を惹きつける蘆雪の魔力

もっと知りたい
長沢芦雪
金子信久 著
2,200円

大観が認めた天性の色彩感覚とすぐれた画力 夭折の日本画革新者

もっと知りたい
菱田春草
尾崎正明 監修
1,980円

幕末前夜の江戸下町に、世界が刮目する天才画家がいた

もっと知りたい
葛飾北斎
永田生慈 監修
1,980円

「宗達」を見出し、世界に誇る装飾芸術を大成した琳派最大の一人

もっと知りたい
尾形光琳
仲町啓子 著
1,980円 ★

型破りな水墨表現に見え隠れした乱世を生き抜いた「画聖」の個性的素顔

もっと知りたい
雪舟
島尾 新 著
1,980円

京の町に生まれた、清廉なる色香漂う美人画の極致

もっと知りたい
上村松園
加藤類子 著
1,760円

伝統のなかに息づくモダン、詩情あふれる花鳥画と風景画の名手

もっと知りたい
歌川広重
内藤正人 著
1,760円

サロンのスターが江戸の粋を凝縮、理知が支えた優美艶麗

もっと知りたい
酒井抱一
玉蟲敏子 著
1,760円

融通無碍な精神があふれだす大胆・幽妙のイマジネーション世界

もっと知りたい
雪村
小川知二 著
1,760円

究極の形と色を求め身近な生き物たちを描き続けた超俗の画家の97年

もっと知りたい
熊谷守一
池田良平 監修・著
1,980円

庶民とともに生きた江戸っ子絵師の愛すべき素顔と仰天浮世絵！

もっと知りたい
歌川国芳
悳 俊彦 著
1,760円

千年先を見据えた強烈な個性、「動植綵絵」のめくるめく興奮

もっと知りたい
伊藤若冲
佐藤康宏 著
1,980円 ★

傑作「松林図屏風」をものした絵師はみずみずしい色彩画の妙手だった

もっと知りたい
長谷川等伯
黒田泰三 著
1,980円

マルチな才能を発揮 大正浪漫の申し子のレトロモダンな叙情に浸る

もっと知りたい
竹久夢二
小川晶子 著
1,760円

江戸と明治、狩野派と浮世絵……二つを生きた絵師の悲哀とほとばしる画才

もっと知りたい
河鍋暁斎
狩野博幸 著
1,980円

狂気ゆえか無頼ゆえかアヴァンギャルドな逸脱表現の魅惑

もっと知りたい
曾我蕭白
狩野博幸 著
1,760円

「琳派の祖」という枠を超えた、諸芸術の天才のあくなき美の探究

もっと知りたい
本阿弥光悦
玉蟲敏子ほか 著
2,200円

乳白色の裸婦以降、二つの祖国を魅せた多様な作風と画家ならゆえの曲折

もっと知りたい
藤田嗣治
林 洋子 監修・著
1,980円

他の追随を許さない卓抜した描写力で日本画の史上に輝く巨匠の魅力

もっと知りたい
竹内栖鳳
平野重光 監修
1,980円

写生派という、新しいスタイルを生み出した近代日本画の祖

もっと知りたい
円山応挙
樋口一貴 著
2,200円 ★

おおらかな気を放つ機知と豊麗の様式美 琳派は、ここから始まった

もっと知りたい
俵屋宗達
村重 寧 著
1,760円

作品集
A4判 オールカラー

作品の世界に浸るならこの1冊

大画面で作品に迫る

『小原古邨作品集』より

細部までじっくり鑑賞

ゴッホ作品より

色がきれい！わかりやすいと大評判！

ART BEGINNERS' COLLECTION

もっと知りたいシリーズ

全93点刊行中

巴水の東京

ひとりの画家や流派と向き合いたい方に

『もっと知りたい川瀬巴水と新版画』より

もっと知り...

すぐわかるシリーズ

代表作・名品を精選 見かたのポイントをズバリ！

東髪の普及で生まれたモダンなデザインの洋櫛

『すぐわかる日本の美術』より

忘れがたい足跡を遺した作家や作品を選りすぐって紹介。

『ヴィルヘルム・ハマスホイ 静寂の詩人』

「通好み」のあなたへ

ToBi selection

コラムやチャートも充実

株式会社 東京美術

TEL：03-5391-9031　FAX：03-3982-3295
https://www.tokyo-bijutsu.co.jp

〒170-0011　東京都豊島区池袋本町3-31-15

◆ご注文は、なるべくお近くの書店をご利用ください。店頭にない場合は書店からお取り寄せできます。

◆小社に直接ご注文される場合は、代金引換のブックサービス宅急便にてお送りします。

◆本チラシ記載の価格は税込価格です。★印は増補改訂・改題版を示します。

繰り返し行うことでオリジナルに近いと想定される構造の壁面を制作した。

⑩パーツの接着

壁画の画像を出力した各パーツを立体に接着していく。薄手の和紙を用いることで、和紙特有の伸縮性を利用して立体の凹凸に沿わせるように画像を貼りつけた。

⑪手彩色の仕上げ

最終段階として手彩色を加えることでより精度の高い復元を目指した。本壁画の名前の由来でもあるラピスラズリをはじめ、可能な限り同素材の絵具を用いて彩色を行った。遥かな時を経て再び壁画に命を吹き込む作業には、わずかながらも当時の画工たちと精神を通わせる思いがした。多くの人々の想いを結実させ、壁画は完成を迎えた。

（林 樹里）

⑨ 発泡スチロール表面には樹脂を用いた土壁層や、白色顔料による壁画表面層を作成した

⑩ 出力した各パーツを接着

⑪ 仕上げとして手彩色を加え、完成

バーミヤンE窟仏龕及び天井壁画《青の弥勒》復元　スーパークローン文化財

グービャウッヂー寺院（ミンカバー）壁画（人物群）　クローン文化財

ミャンマー
グービャウッヂー寺院
Gubyaukgyi Temple, Myanmar

バガン遺跡は、11世紀から13世紀の間に栄えたミャンマー最初の統一王朝であるバガン王朝の首都、バガンに築かれた。ミャンマー中部に位置する都市バガンには、エーヤワディー川の東岸に沿った約40km²内に仏教遺跡が2,500以上存在するといわれている。世界三大仏教遺跡のひとつと称されるミャンマー・バガン遺跡は、2019年に世界遺産にも認定され、仏塔や寺院の内部に描かれた壁画や天井画の多くは、漆喰が塗られた赤土の煉瓦の上に描かれているため朽ちやすく、また、略奪や盗難、地震や水害による劣化が著しく、保存のために一般公開が難しい状況に置かれている。そこで、ミンカバー・グービャウッヂー寺院の中にある「ダンス」「音楽」「人物群」部分のクローン文化財による再現を行った。

　制作されたクローン文化財は、すでに同国首都ネピドーの国立博物館に収蔵され、展示室に陳列されている。クローン文化財を活用することで、バガン遺跡の保存と公開の両立を可能とし、自然災害からの復興の促進と観光産業の発展が期待されている。

現地で常設展示された
バガン壁画のクローン文化財

世界三大仏教遺跡・バガン遺跡

日本から南西約4,800kmにあるミャンマー連邦共和国。その国土は、日本の約1.8倍となる68万km²。その形状は南北に長く、国境はタイ、中国、インド、バングラデシュ、ラオスの五か国と接している。その特徴的な立地から、この国では歴史的に現在のインドや中国、タイなどの近隣諸国と人的、物的に多くの交流が行われてきた。

　ミャンマーの人口は5148万人（2015年5月29日、ミャンマー入国管理・人口省暫定発表）。人口の約70％を占めるビルマ族を筆頭に135に上る民族が存在し、全人口の90％が仏教徒（上座部仏教）といわれている。

　バガン遺跡は、11世紀から13世紀の間に栄えたミャンマー最初の統一王朝であるバガン王朝の首都、バガンに築かれた。ミャンマー中部に位置する都市バガンには、エーヤワディー川の東岸に沿った約40km²内に仏教遺跡が2,500以上存在するといわれている。バガン遺跡は、カンボジアのアンコール・ワット、インドネシアのボロブドゥールとともに世界三大仏教遺跡のひとつと称されており、仏教遺跡のうち300以上の仏塔（パゴダ）や寺院には内部に壁画や天井画が描かれ高い芸術性を内包している。

　バガン王朝の成立以前にも、ミャンマーでは複数の都市国家が存在していた。たとえば、ハリン、ベイタノウ、シュリー・クシェトラの3つの都市遺跡がユネスコ世界文化遺産として登録されたミャンマー中部のピュー古代都市群があげられる。ピュー古代都市群は、ミャンマー北部から移り住んできたチベット・ビルマ系のピュー族が築き紀元前3世紀頃から紀元9世紀にかけて栄えたピュー王国の遺跡である。その他、モン・クメール系のモン族が3世紀頃にミャンマー南部に築いたタトゥン王国や、ラカイン族がミャンマー西部の海岸線に沿って築き、ミャウウー北方に首都をおいたワイタリなどの都市国家が存在したといわれている。

　また、ピュー王国の最大の都市国家であったシュリー・クシェトラはマレー半島やスマトラ、ジャワ、バリをはじめ、北インドや東インド沿岸部、中国雲南と、タトゥン王国はインド、マドラス、マレー半島、タイと交易を行っていたといわれている。

　このようにバガン王朝誕生前から、複数の民族による都市国家が存在し、近隣諸国と活発な交易が行われてきた状況下、当時のミャンマーでは精霊信仰や、密教的な大乗仏教が信仰されていた。

2500以上もの仏教遺跡が建設されたバガン王朝

　チベット・ビルマ系のビルマ族でバガン王朝の最初の王といわれているアノーヤター王は、1044年の即位以降、異なる価値観を持つ複数の宗教を信仰する多数の民族をまとめ上げ、バガン王朝の全国統一を進めた。この統一を推進するため、都市タトゥンからモン族の高僧シンアラハンをバガンに招き、厳しい戒律で己を律する上座部仏教を国教と定め普及させた。

　アノーヤター王をはじめとするバガン王朝の歴代

ミャンマー文化省からの依頼によりバガン壁画のクローン文化財を制作するための現地調査（2014年10月）

暗い遺跡内での色合せ調査を行う

の王は、上座部仏教の普及を進めるために仏塔や寺院を建設した。その結果、上座部仏教は広く民衆に受け入れられ、人々は輪廻転生を信じ自ら進んで寄進するようになった。そして、民衆も自ら仏塔や寺院の建設を推進したため、バガン王朝が栄えた11世紀から13世紀の間に2,500以上もの仏教遺跡が建設されるにいたったと考えられている。

　アノーヤター王は都市タトゥンから、僧侶のみならず、建築家、芸術家、工芸職人など多くの優秀な人材も首都バガンに招き入れ、モン族の文化を積極的に取り入れることで、バガン王朝の文化水準を高めていった。

　こうして、バガン王朝時代には素晴らしい建築様式に加え、絵画、石工、青銅鋳物、彫刻、金銀細工などの、ミャンマーの伝統的芸術が誕生することとなり、バガン遺跡の建築内部に芸術性の高い壁画や天井画も有することとなった。

一般公開が難しいバガン壁画のクローン復元

　しかしながら、壁画を有する300以上のバガン遺跡では、外壁の多くが赤土の煉瓦造りで、壁画の多くは漆喰の上に描かれている。赤土と漆喰の組み合わせは朽ちやすく、バガン壁画は保存のために一般公開が難しい状況に置かれている。

　こうしたなかで、ミャンマー文化省は、東京藝術大学の持つ特許技術を活用したクローン文化財に強い関心を示し、2014年11月にミャンマーで開催されたASEAN（東南アジア諸国連合）サミット2014において、同学の制作したバガン壁画のクローン文化財を、ミャンマー政府からASEAN+3（日中韓）の各国首脳への記念品として採用した。

　また、バガン壁画のクローン文化財は、首都ネピドーに2015年に建設されたミャンマー国立博物館のパブリックコレクションとして公開展示もされてい

る。この公開展示にあたり、当時のミャンマー文科省キャオ　ウー　リン考古・国立博物館局長からは、次のコメントを頂戴している。

> 「東京藝術大学のおかげで、保存のために公開が難しいバガン地方の壁画を、首都ネピドーの国立博物館で『クローン文化財』として公開展示でき感謝しています。今回の展示を通じ、我々にとってかけがえのない文化であるバガン遺跡を正しく後世に伝えていくことができ嬉しく思います。また、より多くの方々にバガン遺跡の素晴らしさを伝えられることは、同地区の観光産業の発展や、被災からの復興推進にもつながると期待しています」

今後も国内外問わずクローン文化財を用いた保存と公開の両立による文化継承や観光産業の発展を推進していく予定である。

（三橋一弘）

ミャンマー国立博物館（ネピドー）のパブリックコレクションとして公開展示されているバガン壁画のクローン文化財を囲む、ミャンマー政府文科省キャオ　ウー　リン考古・国立博物館局長と宮廻正明（2016年12月）

参考文献
田中義隆著・編訳,『ミャンマーの歴史教育―軍政下の歴史教科書を読み解く』, 明石書店, 2016年
山口洋一,『歴史物語ミャンマー〈上〉独立自尊の意気盛んな自由で平等の国』, カナリアコミュニケーションズ, 2011年
Sanda Khin, *Bagan Images of Mural Paintings*, Asia Alin Sapae Ministry of Culture, Archaeology and National Museum Department, The Union of Myanmar, *Pictorial Guide To Bagan*, 1963

参考URL（2022年7月アクセス済）
• 「JETRO：ミャンマー概況」 https://www.jetro.go.jp/world/asia/mm/basic_01.html
• 「UNESCO：Pyu Ancient Cities」 http://whc.unesco.org/en/list/1444/
• 「東京藝術大学：ミャンマー・バガン遺跡の複製壁画をミャンマー文化省へ寄贈」
　http://www.geidai.ac.jp/news/2014111224298.html
• 「東京藝術大学：藝大COI拠点制作の"クローン文化財"をミャンマー国立博物館がパブリックコレクションとして公開展示」
　http://www.geidai.ac.jp/news/2016120551810.html

制作ノート Process

筆跡までを再現することで迫真の描写に

バガン壁画のクローン文化財制作をするにあたり、ミャンマー・バガン遺跡を訪問して目視調査・高精細撮影・3D計測などを行った。その調査から得られた詳細なデータをもとに、クローン文化財制作の材料選び、制作技法の検討にあたった。対象となった壁画はミンカバー・グービャウッヂー寺院の中にある「ダンス」「音楽」「人物群」である。

① 現地での調査

①撮影調査・画像編集

撮影を行った窟内は狭く、撮影に充分なスペースが確保できないため、壁画を部分ごとに撮影することになった。現地で高精細撮影したものを帰国後につなぎ合わせてひとつの画像に統合する。この時一枚一枚の部分画像の明るさや色味を微調整して全体感を整えた。

　画像の色を調節する際には、現地で制作した色合わせカードを使用した。

②-A コンピュータ上で画像をつなぎ合わせて統合する

②壁画下地制作

バガン壁画の土台となる石壁部分の素材選びを行う。クローン文化財をつくる以上、土台は石壁に近い質感の素材が望ましいが、実際の石材を使用した場合、重量が過剰になり展示や運搬時の安全性、利便性に懸念が生じた。そこで、石の質感に近く、ある程度の強度をもちながらも、軽量で加工に便利な石粉粘土を使用することにした。

　石粉粘土に少量の水を加えながらよく練り込み、乾燥時のひび割れを予防する。その後、鉄の棒を使って粘土を平たく伸ばし板状にしていく。裏面には寒冷紗を貼り、それをさらに粘土で埋め込んでいく。こうすることで寒冷紗が壁画の芯材になり割れを防ぐ効果がある。厚みが整ったら、原本の壁画の寸法より一回り大きく四辺をカットする。裏表を返しながら粘土板が反らないように乾燥させた。乾燥した粘土板には、反り防止のために、裏面に木の板を取り付けた。この板は粘土板の表からネジ打ちをして固定するが、この時、粘土板の表にできるネジ穴は再度、粘土を入れて埋めた。

②-B 壁画の土台となる石壁を制作する

③彩色層制作

彩色層とは壁画の表面部分の層である。クローン文化財制作では彩色層になる部分に和紙を使用した。和紙は柔軟性と強靭さを兼ね備えており、凹凸面に貼り込む際、とても馴染みが良いからである。使用する和紙には滲み止めのドーサ液を塗布した。和紙の滲みが止まったら、次に原寸大にプリントした画像を用いて主要な線を和紙にトレースした。完了したら、トレースした線が消えない程度に和紙全体にスポンジ等を使用して壁画表面の質感をつくっていく。これがクローン文化財を触った時の質感になる。

　クローン文化財は触れる文化財というコンセ

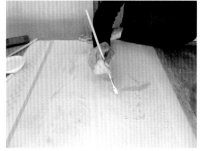

③ トレース線をもとに、描かれた時のタッチ（筆跡）を盛り上げていく

④ トレースした場所にあわせ位置を確認しながら印刷する

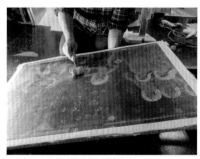

⑤ 印刷した和紙を粘土板に貼り込む

⑥ 凹凸も再現することで絵は迫力と奥行きを取り戻す

プトをもって制作しているため、壁画表面の質感再現は最も重要な要素といえる。凹凸ができたらその上から、先ほどのトレース線をもとに、描かれた時のタッチ（筆跡）を盛り上げていく。バガン壁画はこのような絵具の筆跡による盛り上がりがよく残っていた。これらの凹凸や筆跡の盛り上げについては、印刷時のインクの発色を良くするため白色の顔料を使用した。

④印刷

トレースした場所の筆跡に合うように、何度も位置を確認しながら本番の印刷をかける。凹凸をつけた紙は破れやすいので、印刷には細心の注意を払う。

⑤貼り込み

印刷した和紙を、粘土板に貼り込む。貼り込みには生麩糊を使用した。生麩糊は和紙との相性が良く、塗る時の伸びもいいので、貼り込みに適していると判断した。

　まず土台となる粘土板の方に糊を塗る。その時、貼り込む和紙が乾燥状態だと、置いた瞬間、和紙が伸び皺になりやすい。そのため和紙の方にも程よく水分を与えながらゆっくりと伸ばしていく。この時あまりに水分が入ってしまうと今度は彩色層につけた凹凸の絵具が緩んできてしまう。タイミングと湿りの量を見計らいながら、粘土板に貼り込む。片側の辺から置き始めて、ゆっくり刷毛で空気を抜きながらの作業となる。その後ローラーを使用して、隅々までしっかり押さえていく。

　空気が完全に抜けたら貼り込みの完成。乾燥のため1日置く。

⑥手彩色

貼り込みが終わり、表面が乾燥したら、最後の工程に入る。印刷の画像は実際の壁画に比べ少しのっぺりとして平面的な印象になることが多い。人の手によって彩色を施すことで、絵は迫力と奥行きを取り戻す。絵具にしても描かれた時と同じ種類の顔料を使用して彩色することで、印刷だけでは味わえないリアリティを持った複製画を生むことができる。また彩色層の欠損部分も削りこみ、表面から叩きを入れて凹ませていくことで、剥落した風合いを表現した。

（梁取文吾）

グービャウッヂー寺院（ミンカバー）壁画（ダンス）
クローン文化財

グービャウッヂー寺院（ミンカバー）壁画（音楽部分）　クローン文化財

思考を伴った青の美意識

宮廻正明

日本画の世界では青は別格に扱われる。日本画の天然岩絵具のなかには一両目（15g）4,000円以上もする、とても高価な青の絵具天然群青がある。次に高い絵具が天然の辰砂（朱）で約半値であり、次が緑青（緑）の順である。群青と緑青の産地はほぼ同じであり成分も銅であるにも関わらず、不思議と大きな価格差が生じている。ところが何故だかこのような高価な群青の絵具を一度は使って絵を描いてみたいという、青に対する特別な願望がある。しかしながら実際に群青で絵を描くには目には見えない高い壁があり、群青という青の世界に行き着くためには宇宙旅行をするくらいの高度な能力が必要である。そこで青の色とはどのような意味合いを持っているのかについて考えてみる。

空も青い。海も青い。よく考えると自然の大半が青でできている。その昔、宇宙飛行士が「地球は青かった」という名言を残し、その一言に我々は大きな感動を得た。そこで宇宙と青という色とのつながりに興味を持つようになる。NASAが発表した宇宙探査機による木星の写真では、表面が青い明るい楕円形をした渦を巻く巨大な嵐が観察されたと発表された。ふと、法隆寺釈迦三尊像の頭部にある螺髪（髪）の部分が青色に彩色されていたという史実と結びついた。なおかつ両方とも右巻きの渦である。そこで宇宙と仏像の頭部とが青い渦でつながる妄想が広がっていく。今回スーパークローン文化財による法隆寺釈迦三尊像の復元を行い、その時仏像の螺髪の右巻きの渦に青色の彩色を施してみる。仏像と宇宙は青色を通して同期をしていたのではないか。

絵具として使われている青色の鉱物には2種類の青が存在し、世界を二分している。敦煌を境に、西側諸国では、アフガニスタンで産出される「ラピスラズリ」という鉱物を砕いてつくった蒼い絵具が使われる。とくにヨー

ロッパ等の西洋では、ウルトラマリンという海の向こう側から届いた憧れの蒼としての名称で広がっていく。それに対して中国や日本などの東洋では群青という山々の自然に溶け込んでいくようなアズライトが広がっていく。両方とも自然の鉱物からできているが、青の世界においては敦煌を軸に明確にその美意識が海と山に二分されている。12色環において青を軸に時計回りに赤の方に展開していくのが西洋であり、時計回りの反対方向に緑の方に展開していくのが東洋である。

　これと同じような現象が日本画の青の中にも存在する。日本画の絵具に使われている天然の青の絵具には、顔料と染料とがある。顔料とは岩を砕いたり土を水簸（すいひ）させてつくられた絵具で、群青はアズライトという鉱物を砕いてつくられる無機化合物であり、染料は藍染の蓼藍からつくられる有機化合物で粒子を持たない絵具である。同じ青でも群青のとても重厚な青に対し、藍はとても庶民的な青である。日本では、この二極の色味の青を巧みに使い分け重ね合わせて、少ない色数で画面空間を構成していく。顔料は水に溶けないない性質の為、いくら混ぜ合わせてもそれぞれの粒子は独立しており点混合による色相を形成する「混在」である。ところが染料は水に溶け粒子を持たないので一旦混ざり合ってしまうと全く異なった色相となる「融合」である。日本画はこの混在と融合という「相対する要素が複雑に絡み合うことにより生まれた芸術」であり、しっかりこの要素が青の絵具の中にも存在している。

　このように青は、宇宙や自然の中に思考を織り込んだ世界観を持つ最も魅力的な色である。

[左] アズライト　[右] ラピスラズリ

中国
敦煌莫高窟第57窟

Cave 57, Mogao Caves, Dunhuang, China

中国甘粛省(かんしゅく)の西端に位置し、1987年に世界遺産に登録された敦煌石窟は莫高窟(ばっこう)・楡林窟(ゆりん)・西千仏洞などからなり、なかでも莫高窟の規模は最大で、保存の状態もよく、4世紀から1,000年の時を超えて生み出され続けた多数の洞窟内に仏塑像や壁画が残されている。敦煌の文化遺産を守り伝える役割を担う敦煌研究院では、飛躍的に増大した観光客により、文化遺産の劣化が加速度的に進むという懸念から一部の窟で拝観者を制限している。しかし、より効果的な解決策を見出すための試行錯誤がなおも続けられている。

　東京藝術大学では、敦煌研究院との共同研究によりまず2017年に敦煌莫高窟第57窟の原寸大再現、そして2022年には第275窟の本尊・弥勒菩薩交脚像とその背壁を70%縮小で再現した。

　「美人窟」と称され典型的な唐代の石窟である第57窟。四方に配された壁画の再現と、制作当初の姿を想定した塑像の制作により、クローン文化財を用いた保存と観光の両立を試みる。

「美人窟」とも呼ばれる敦煌莫高窟第57窟

中国甘粛省の北西部、新疆ウイグル自治区にも接する敦煌市近郊の砂漠地帯ただ中に、敦煌莫高窟はある。鳴沙山東崖の南北1,600mにわたり4世紀から1,000年の時をかけて穿たれた492余の窟が点在し、ここに膨大な壁画や仏像が残されている。敦煌は、かつてシルクロードのオアシス都市として繁栄した地であり、莫高窟には時代ごとの東西文化交流の様が体現される。長きにわたり変遷を繰り広げたさまざまな時代の宗教美術がひとところで鑑賞できるのは、世界的にも珍しい。

莫高窟を訪れたのは2015年9月だった。敦煌市内の賑わいから離れ、古から多くの参拝者や修行僧が訪れたこの地には今も崇高な空気が流れていた。まだ観光客がまばらな早朝、悠久の時間を包むように澄んだ青空のもと、乾いた風になびく木々の影が薄

黄土色の岩壁に柔らかに映し出されていた。

1900年、敦煌文書と呼ばれる大量の経典や文献が小窟内から発見されたことを契機に、近代諸国からの調査団が次々と足を踏み入れ、当初荒廃していた石窟群に補修・補強を施し回廊を設けることで現在のような鑑賞設備が整えられた。1970年代より一般公開されてからは、この名高い文化財をひと目見ようと、中国国内のみならず全世界から観光客が殺到し、その数は一時年間80万人を超えたという。しかし、ここで問題となってきたのがやはり文化財保護の観点からみた危険性だった。狭い窟内に1日に多くの人々が押し寄せれば、当然その影響は著しい。人びとの呼吸でさえも二酸化炭素によって文化財の劣化を早めた。今では公開する窟を制限し観光客の完全予約制や人数制限を設けているものの、それでも

完全な問題解決は難しい。敦煌莫高窟において、その保存と公開の両立は依然として目下の課題だ。

東京藝術大学では、こうした背景を受け敦煌研究院との共同研究としてクローン文化財制作に取り組んだ。それは、クローン文化財の開発者・宮廻正明が師と仰いだ平山郁夫氏が生前長きにわたり敦煌と築いた関係や遺志を引き継ぐ試みでもあった。

スーパークローン文化財として復元に挑んだ57窟は、7世紀唐代に開かれたとされ、数ある窟のなかでもとりわけ美しいことで名高い。約5m²の小さな窟は、一見して整然としているが壁面には緩やかな凹凸があり、人の手で穿たれた素朴さを感じる。東西南北の全壁面には隅々まで色鮮やかな壁画が描かれ、なかでも南壁「樹下説法図」の右脇侍は剥落も少なくその柔和で優美な姿からこの窟を「美人窟」

と言わしめる。また、オリジナルでは清代の後補とされる塑像が仏龕内に安置されるが、敦煌研究院との共同制作で唐代を想定した塑像を新たに制作することで、より当初の窟内に近い雰囲気を体感できるよう目指した。

こうした豊かな文化財を後世に引き継ぐ手立てが急務の今、クローン文化財によりオリジナル窟内での滞在時間を最小限にしたり、現地へ赴かずとも作品を体感できたりする仕組みを模索できると考える。そして、制作当初を想定した復元などは鑑賞のみならず研究分野にも新たな可能性を提示できるだろう。

(林 樹里)

莫高窟第57窟 主室南壁 クローン文化財
右脇侍(向かって左)が「美人窟」の愛称のもとになった美人菩薩である

南壁　　　平面図

莫高窟第57窟　主室南壁　クローン文化財
肌の変色がなく敦煌一の美菩薩で、東洋のヴィーナスとも呼ばれている

制作ノート Process

①3D計測データ

制作にあたり敦煌研究院より57窟の正確な3D計測データの提供を受けた。57窟は前室と主室の二部屋に分かれていたが、規模を考慮し復元では主室とそこにつながる甬道（ようどう）の範囲での制作となった。前室から階段を数段下がったところから甬道が始まり、西壁仏龕の奥までで約6.3m、南壁から北壁の幅約4.2m、天井部分（途中まで）の高さ3.4mの洞窟を原寸大で再現することとなった。

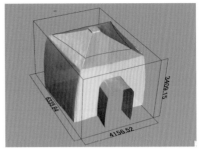

① 敦煌内部の寸法

②分割シミュレーション

巨大な構造物を制作するため綿密な計画を立てながら進めていく。計測された3Dデータは洞窟の大きな形状から微妙な壁面の凹凸といった小さな表情までもが確認できるほど精度の高いものだった。その3D計測データをもとに削り出す表面部分が覆るよう、3Dソフトウェア上で洞窟の構造体となる難燃性発泡スチロールの正確な割り振りをシミュレーションし、必要となる材料の量を算出していく。組み立てることを想定して部材の大きさを検討した。

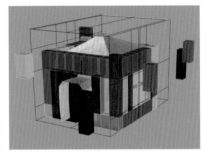

②3Dソフトウェア上での材料分割のシミュレーション

③モデルデータ上に画面を配置

3D計測では壁面の凹凸情報のほかに画像も同時に撮影されている。この画像は洞窟内部の壁画の位置を正確に記録しており、この画像をもとに原寸大に引き伸ばす最終的な印刷画面を制作する。ただ、この画像は解像度が低く原寸に引き延ばすと鮮明でないため、実用には敦煌研究院が撮影した超高解像度の画像を使用し合成することで原寸大に耐えられる処理を行った。提供された画像は壁面の亀裂まで写し出され、原寸でも十分に耐え得ると判断した。

③ モデルデータ上に壁画の画面を配置する

④試作

制作にあたりいくつかの試作を行った。オリジナルは絶壁をくり抜いて掘られた洞窟であり、同素材で制作することは難しく、また展示を繰り返せるよう再構築を可能にする材質である必要があった。そのため、構造体には建材にも用いられている難燃性発泡スチロールを使用することとした。

④ 再現する壁画の構造検討のための試作

⑤土台

細かく分割された構造体をひとつずつ3Dデータにしたがい壁面の形状を削り出していく。100個以上のパーツから再構築を繰り返すように接着し、46個のパーツにまとめた。オリジナルの壁画は、削り出した岩肌であり当時は粗目の砂に藁や土を混ぜて塗ることで下地層をつくり絵を描くのに最適な平滑な面をつくったとみられる。よって復元でも同様に現地の土で下地層をつくりその上に白色の絵具を塗った。

⑥編集した画面を出力

オリジナルの壁画は卵の殻のような質感であったため、白のカルシウム系の顔料（白土と胡粉）を混ぜ特許技術を用いて凹凸を伴った印刷用の紙を制作した。洞窟の形状は天井に向かって微妙に先すぼみになっており、平面の画像を立体に沿うように形状を変える画像処理を行った。色は現地に赴いた際に持参した試作をもとに調整を行い、プリンタで刷れる約90cm幅で刷っていく。

⑦画像の貼りつけ

印刷された紙は薄く脆弱であるため、濡れても印刷が流れ落ちないよう処理を施した。また長尺（約3.5m）であるため4〜5名がかりで壁面に貼りつけていく。貼りつけの際には紙の伸縮を利用し、隣り合う画像がぴったり重なりあうよう注意した。また、乾いた後にそれぞれのパーツに刃物で切り込みを入れることで、後につながった壁面を分割できるよう細工した。

⑧金箔、仕上げ

オリジナルの壁画には天然の顔料が使用されており、群青、緑青、弁柄などを膠で溶いて手彩色していく。現地調査では、菩薩などの宝飾品の描写には絵具を盛り上げ彩色した後、金箔を貼る手法が用いられていたため、これと同様の方法で印象を合わせながら制作を行った。最後に壁面全体に敦煌の土をこすりつけ砂嵐にさらされてきたオリジナルの風合いを出し仕上げた。

（並木秀俊）

⑤切削した壁画空間形状に土を塗り土台を制作

⑥3D形状に合わせて編集した画像を印刷

⑦画像を貼りつけていく

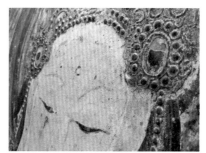

⑧金箔、凹凸仕上げ

敦煌莫高窟第57窟 主室西壁
壁画は現地での調査と敦煌研究院提供のデータから復元を行った。57窟
に限らず敦煌莫高窟の塑像は後世の修復が多く、壁画と塑像に印象のずれ
がある。また、脇侍一体が紛失しているなど創建当初の姿は見ることがで
きない（画像提供：敦煌研究院）

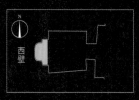

平面図

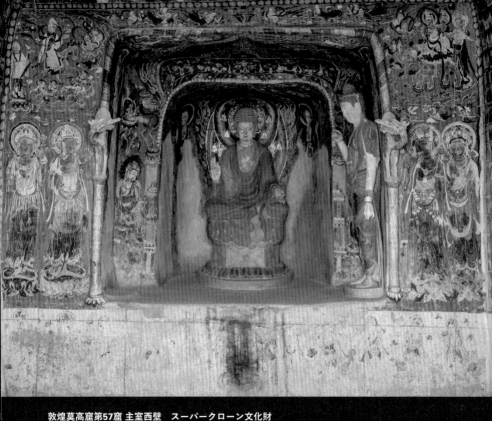

敦煌莫高窟第57窟 主室西壁　スーパークローン文化財
敦煌研究院と東京藝術大学の塑像研究者が共同で中央の釈迦如来と向
かって右の菩薩を、同時代のほかの石窟に残された塑像を参考に再現。塑
像の彩色を同時代の風合いに合わせることで創建当初の姿が垣間見える

時代を超えた敦煌莫高窟第57窟の彩塑復元

深井 隆

復元制作と展示に向けた現地調査

中国の古代文化財は数多くあるが、こと彫刻に関していえば、大同市にある雲崗石窟、洛陽市にある竜門石窟に代表される石造仏教寺院遺跡、西安市の秦始皇帝陵兵馬俑(7,000体を超すと言われている、等身大の素焼きの兵士や馬)、そして敦煌莫高窟の彩塑が特に著名である。これらの文化財は規模といい、造形のクオリティといい、本当に素晴らしく魅力にあふれている。

　2016年9月、我々東京藝術大学の調査チームは、真夜中、砂漠の真ん中にある、リニューアルしたばかりの敦煌空港に到着した。あたりには人工の明かりが全く無く、月光がこんなにも明るいことを改めて感じる。

　当地で敦煌莫高窟創建1650周年記念国際フォーラムが開催され、クローン文化財に関する講演発表と、莫高窟第57窟の展示に関しての打ち合わせ、そのための調査をすることが訪問の目的であった。

　歴史をひもとけば、敦煌と東京藝術大学の関係は、平山郁夫氏の時代からの長い交流がある。敦煌研究院院長はじめ、多くの研究員は東京藝術大学で共同研究や保存修復研究の留学経験がある。

　展覧会では、壁画に美しい菩薩像が描かれている57窟全体を再現したいと考えていたので、特に57窟の詳細な調査を行った。ただひとつ問題があった。それはここに祀られている彩塑の仏像が、後世の手が多く入っているものであることだった。

敦煌莫高窟創建から1650年。57窟はもう少し後のものだが、それでも1,400年ほどは経っているだろう。敦煌の仏像は、粘土に彩色されたもののため、そもそも保存することが、石仏などに比べ非常に難しい。そのため度々の修復がなされたものが多くなってしまうのは仕方が無いのかもしれない。

　このときの訪問では、莫高窟の見学を2日間、選りすぐりの30を超える窟を調査する機会を得た。その中で、保存状態が良く、優れた彫刻が多く残っていたのが、45窟、275窟、328窟であったと思う。造窟時代順にいえば275窟は北涼時代(5世紀)のもので、交脚弥勒座像はじめ多くの仏像が素晴らしい。328窟は、57窟と同じく初唐のもので(9体の構成であるが、1体はアメリカに現存している)優雅さと厳しさを兼ね備えている。45窟は時代が少し下がって盛唐(8世紀初)のものだが、7体でなる構成は57窟に似て、さらに優雅になっている。

　さて57窟の壁画、彩塑全体を復元するにあたって、ここの彫刻は過度な修復が多いので、328窟や45窟を参考にして、創建時に合わせたものをつくった方が、今後の敦煌の研究を発展させるのによいのではというアイデアを、我々は持っていた。

　このことを敦煌研究院側に提案すると一瞬考え込まれたようだった。そのような復元の発想はお持ちでなかったようだった。しかしその後、敦煌研究院は提案を受け入れて下さり、2017年2月に東京藝術大学で行われた57窟復元の調印式では、同研究院の彫刻を担当する研究員も同行して下さった。また、東京藝術大学と敦煌研究院が共同で制作するという方針が決定され、同校と敦煌研究院との長い歴史に、初めて彫刻の分野でも交流が始まる画期的なことになった。

後世の過度の修復が多い塑像の復元

制作の工程には3段階ある。まず、東京藝術大学の文化財保存学保存修復彫刻専攻博士課程の学生を敦煌に派遣し、現地での目視調査と、敦煌研究院が提供する画像データをもとに、同院研究員と共同で、上述した328窟や45窟の仏像から想像される創建時の形状を考慮したかたち

で57窟の彩塑を模刻する。

次に、これを3D計測する。そのデータをもとに、東京でロボットアーム式3D切削機を使用し立体化し、最後に彩色を施す。

この復元制作では多くの成果が期待されたが、そのひとつは、現地で復元したものを3Dデータにとることで、移動コストをかけず、多様な利用が可能となるということだ。現地でもう一体同じものを制作し、その過程を通じて研究を進めることもできるのだ。

敦煌の塑像に関しては、実証的な研究の余地があるのが現状だと思う。中国と日本では古代塑像の制作方法が多少違うようでもある。中国の場合、楊という皮付きの枝を心木とし、そこに藁を束ねて麻縄で巻きつけ、粘土の付きをよくしているところが、日本とは異なる点である。この方法は日本には伝わらなかったようだ。日本の古代塑像は檜や杉などの針葉樹の心棒に、藁を混ぜた土、籾殻を混ぜた土、雲母を多量に含んだ土に楮を混ぜた土の3種類の土で造形する。また、中国では粘土の粘着性を高めるために、日本でいうもち米に似たものを混ぜることもあ

るという話を、現地の研究者から聞いた。

今回の復元のもうひとつの成果として、創建当時の形状を想像してスーパークローン文化財を制作するという手法が、新たな試みとなった。このような復元方法がよいかということは、難しい問題である。ただ、敦煌の塑像群に関しては、後世の過度な修復が多い。研究の一環として、創建当初のものをつくっていくということは、悪いことではないと考える。

そこにパーフェクトな答えはないだろう。さまざまな研究者が、「この形は違うのではないか」「唐の時代、この色はないはずだ」「指の印相が違うのではないか」などとさまざまな意見を出し、みなが考えるきっかけになれば幸いである。今回の実践的な交流で、この分野の研究が進む契機となることを切に願っている。

さらに、現在、飛躍的に多くの観光客を迎えるようになったと聞く敦煌莫高窟、そのことで劣化が加速度的に進むという懸念もあるという。保存と観光の両立の面でも、クローン文化財の活用と存在意義をみいだせるのではないだろうかと期待している。

① 創建時の形状を考慮した彩塑を模刻

② ロボットアーム式3D切削機による切削

③ 手作業による仕上げと彩色

④ 完成した彩像

敦煌莫高窟第57窟　主室南壁（左）、主室西壁（右）　スーパークローン文化財

中国
敦煌莫高窟第275窟
交脚弥勒菩薩像

Statue of Maitreya Bodhisattva in Cross-Legged Position, Cave 275, Mogao Caves, Dunhuang, China

かつてシルクロードの要衝であった甘粛省敦煌市。その近郊に位置する莫高窟は、4世紀から1,000年もの長い年月にわたって造営されてきた石窟群のひとつであり、世界最大規模の仏教美術である。大小492の石窟には制作時期の変遷に伴いさまざまな様式がみられるが、なかでも第275窟は、窟形、塑像、壁画の様式などから、現存する最も古い窟のひとつと考えられている。本プロジェクトは、その第275窟の本尊である交脚弥勒菩薩像を含む窟最奥の西壁1面を、敦煌研究院文物数字化研究所の協力を得てスーパークローン文化財で復元したものである。

　交脚弥勒菩薩像の全高は3.34mあり、両脇に獅子を携え、背後の壁画に両脇侍が表されている。左手は指先が、右手は手首から先が失われているが、本プロジェクトではそれぞれ与願印と施無畏印を想定し復元した。

　両手が復元された第275窟西壁のスーパークローン文化財は、2021年に東京藝術大学大学美術館で開催された展覧会「みろく―終わりの彼方　弥勒の世界―」にて公開された。

完成度を目指す

第57窟の知見を踏まえた

2020年、敦煌研究院から提供された3Dスキャンデータと高精細画像をもとに、東京藝術大学のスーパークローン文化財技術を用いた275窟西壁立体造形物の制作が始まった。像のサイズは展示空間に合わせ70％のスケールに設定した。敦煌莫高窟のクローン文化財は57窟に続き2度目の制作となり、前回得た知見を生かすことでより高い完成度を目指した。

①データの修正、分割

敦煌研究院から提供を受けたデータには、右側壁や光背裏、床の両端などにデータの欠損がみられたため、高精細画像を参照しながら復元を行った。交脚弥勒菩薩像には宝冠や胸元、体に流れる衣などの細やかな造形があるが、スキャンの特性上、実際の尊像と比べわずかに形状が甘くなっていたため、データ上で修正を施した。最後に、完成したデータを機械加工に適したサイズに分割した。

①-A　高精細画像

①-B　データの分割

②切削加工

分割した3Dデータをもとに、NC加工機を用いて難燃性発泡スチロールの塊から像を削り出した。本尊左右の獅子と窟天井は東京藝術大学のロボットアームで加工を行い、その他の大部分のパーツは大塚木型の協力を得て3軸加工を行った。胸元等にみられる細部の装飾については大型の加工機では復元が難しかったため、別途東京藝術大学の高精度3軸加工機で削り出したものと置き換えた。

②　ロボットアームでの切削

③組み上げ

基礎となる構造体には、密度が高い難燃性の発泡スチロール素材を採用した。像の構造は3D上で検討を行い、運搬・設置の際の利便性を考慮し、全6ブロックをボルトで連結し組み上げるよう設計した。背面の壁の重量を像本体で支えることで自立を可能とし、背面は合板、折れ易い形状の部分は和紙と樹脂の積層でそれぞれ補強を施した。

③　組み上げ

④仕上げ加工

切削された各パーツは、ブロックごとに専用の接着剤で合わせた。NC加工機による切削は形状が少し甘く出力されるため、一旦すべて組み上げた

うえで、衣紋や尊顔の表情などの細部をより
シャープにするべく人の手による仕上げ加工を
行った。

⑤和紙の貼りつけ

275窟は窟全体に施された豊かな装飾と鮮明な
色彩を特徴としており、今回のプロジェクトでは
尊像と壁画それぞれの形状に適した方法で彩色
を行った。

壁画部分と尊像の頭光部分は、壁画の質感を再
現した和紙に画像を出力し、像に貼った後に手
彩色を施す方法を採用した。壁画の画像は敦煌
研究院提供のデータをもとに、東京藝術大学研
究員がかつて現地調査で取得した他の窟の色サ
ンプルを用いて色合わせを行った。

⑥手彩色

尊像は壁画よりも立体的要素が強いため、前述
の和紙を接着させる手法は適さないと判断し、画
像資料などをもとにすべて手彩色で再現を行う
こととなった。まずモデリングペーストとジェッ
ソを混ぜ合わせたものを全体に塗布して表面の
凹凸を整え、塑像の質感を出すための下地として
黄土色の漆喰を塗布し、その上から制作当時と
可能な限り同様の絵具を推定して彩色を行った。

⑦展示

本尊は全高が3.34mと巨大である。プロポーショ
ンを観察すると、頭部は大きく、下半身が小さく
造形されていることが見て取れる。これは足元に
立つ鑑賞者が像を見上げたときに、最もバランス
がよく見えるように計算してつくられているもの
と思われる。スーパークローン文化財においてス
ケールを70％に縮小した場合にも、この視覚効
果が崩れないようにするため、高い台座に展示す
ることにより見上げて鑑賞できる環境をつくり上
げた。

（大石雪野）

④ 仕上げ加工

⑤ 和紙の貼りつけ

⑥ 手彩色

⑦ 展示

交脚弥勒菩薩像
敦煌初期の造形を今に伝える

深井 隆

交脚弥勒菩薩像　（画像提供：敦煌研究院文物数字化所制作研究所）

敦煌莫高窟の彩色塑像のなかで、45・275・328窟の仏像は保存も良く、特に優れた名品だと思う。その中でも、275窟の交脚弥勒菩薩像は、敦煌初期の造型をよく伝える。動きが抑えられつつも、思考が内側に向いているような表情、そしてその存在感に、私は強く惹かれる。

　東京藝術大学大学美術館で「みろく—終わりの彼方　弥勒の世界—」展が開催されることになった。その企画会議の場で既に制作したクローンによる57窟だけでなく、もうひとつ敦煌に関するものが加えられたらという意見があった。私はすぐに275窟の本尊を思い浮かべた。像が「みろく」菩薩ということもあり、展示されることに決まったが、ひとつ問題点があった。現地での調査の記憶では、2mくらいの大きさと思っていたが、調べてみると3m34cm、思っていたより大きな像であった。包み込まれるような275窟の空間で私はサイズ感が狂っていた

交脚弥勒菩薩像　スーパークローン文化財

ようだ。この大きさでは、いろいろな問題が生じるため、70％の縮小で制作することにした。それでも2m40cmほどになる。大学美術館での「みろく」展では70cmほどの高さの台座の上に展示したため、菩薩像からの目線とは、現地で感じたものと変わらない感覚で対峙できた。交脚像は、ガンダーラ仏から始まって、敦煌初期仏、麦積山石窟などにあるが、一方で同時期にあった半跏思惟像はその後日本にまで伝播した

のと比べると継承が限定的であり、不思議な気がしている。

　私が1980年頃購入した敦煌莫高窟の本に、この像の図版が載っている。それには現在の像にはない（後世作の）右手が写っていた。今回も57窟で取り組んだように、右手及び現在欠損する左手指先を敦煌研究院の許可を得て復元したことを加えておく。スーパークローン文化財ならではのことである。

ウズベキスタン
アフラシアブ遺跡 「外国使節の間」壁画

Mural Painting, the Hall of the Ambassadors, Afrasiyab Ruins, Uzbekistan

シルクロードの中央に位置し、要衝の地として栄えたウズベキスタンは、世界遺産の宝庫といわれている。首都タシュケントから南西270kmに位置し、アフラシアブ遺跡のあるサマルカンドは、「人々が出会う場所」という意味で文明の十字路として、2001年に世界遺産に登録された。7世紀中頃に描かれたとされる壁画は、現在は隣接する博物館内に展示され、ソグド美術を知る貴重な例とされている。

第二次世界大戦後、多くの日本人が生活していたウズベキスタンは、親日の人が多いことで知られている。2019年11月、ウズベキスタンの文化大臣が東京藝術大学を訪れたことを機に、同国の貴重な文化遺産をクローン文化財として再現し活用するプロジェクトがスタートした。サマルカンド・アフラシアブ遺跡の壁画は、ウズベキスタンにとって大変貴重な文化遺産であり、国外にたやすく持ち出すことができない。そのため、クローン文化財を活用することにより、国内での保存と国外での展示を両立することを目的としている。実際に現地を訪れて行った高精細撮影や3D計測により、壁画の凹凸や鮮やかな顔料の発色まで再現できた。

「外国使節の間」の白象

「外国使節の間」のクローン文化財を制作することが決まり、ウズベキスタンを実際に訪れ調査を行うこととなった。現地に向かう前に、関連資料から得た作品画像を印刷し、使用されていることが想定される顔料を厚手の和紙に塗り、色カードを作成した。事前準備を行い、2019年11月に撮影調査チームを編成しウズベキスタン・サマルカンドを訪れた。

首都タシュケントより列車に乗り、サマルカンドに到着した日の気温は0度であったが、大陸性気候のため寒暖差が激しく、日によってマイナス10度を記録し、大雪となる日もあった。市街地より車で移動し、観光地として人気のビービー・ハーヌム・モスクを越えた丘の上に、アフラシアブ博物館がある。博物館はアフラシアブ遺跡の中に建てられており、裏

アフラシアブ遺跡壁画　クローン文化財

手には壁画が出土した丘陵地が広がっている。館内
では壁画以外にも遺跡より出土した陶器や金貨など
が展示され、中央アジアの民であるソグドの歴史に
触れることができる。壁画は中央の大きな展示室で、
発見されたときの宮殿内の様子を再現するように、
四辺の壁にそれぞれ展示されている。初めて本物の
壁画を前にした際に、まずはその大きさに圧倒され

た。長辺が11m、高さは3mを超え、上部は図像が途
切れていることから、より大きな壁画であったこと
がうかがえる。また彩色が美しく、特に白象の乳白色
とまわりを囲む深い青色の対比が目を引いた。残念
ながら退色し、画像が失われている箇所も多いが、
描かれた当時は極彩色の鮮やかな壁画であったこと
が想像された。

(松原亜実)

[写真1] レギスタン広場

[写真3] 壁画が出土した遺跡跡

[写真2] ショブバザール

[写真4] 壁画部分

美しい青の都

ウズベキスタン共和国は、中央アジアのほぼ中心に位置する国で、紀元前に遡る歴史が確認され、数多くの文化遺産が現存している。最も大きい都市のひとつであるサマルカンドは古代ソグディアナの首都で、シルクロードの要衝として栄えたが、13世紀にチンギス・ハン率いるモンゴル軍によって滅ぼされてしまう。しかし14世紀末にティムール朝の建国者アムール・ティムールの手によって復興する。世界のどこにもない美しい都市を建設しようと各地から技術者や芸術家が集められ、現在に残る世界一美しいとも形容される都が築かれた。建物を飾る「サマルカンド・ブルー」と呼ばれる鮮やかな青色のタイルは、ペルシアの顔料と中国の陶磁器が出あって誕生した。抜けるように美しい青空とモスクの色から「青の都」「イスラム世界の宝石」とよばれ、2001年に世界遺産に登録された。現在でもたくさんの観光客が訪れる文化の交流する都市となっている [写真1, 2]。

アフラシアブは紀元前500年から紀元1220年まで存在していたといわれ、その遺跡は現在のサマルカンドの市街地より北に位置する。「外国使節の間」壁画は、1965年の発掘調査中に発見された。西暦655年頃にソグドのワルフマーン王の治世時に制作されたものと推定され、王国を訪問した多くの国からの外交使節が描かれており話題となった。その壁画は遺跡中心部にある宮殿の北の間、広さ11×10m、高さ5.5mの四方の南壁に配置され、鮮やかな色彩をとどめていた。東側の入り口から入ると正面(西壁)には繭玉や絹糸を持つ中国使節の姿や、頭に羽根飾りをつけた朝鮮使節の姿が描かれている。外国使節を出迎えている長髪の男性は、記されたソグド語銘文から「ワルフマーン王」という実在のサマルカンド王に由来する人物であることがわかる。他にもイランなど周辺諸国からアフラシアブを訪れた使節が描かれているため、「外国使節の間」壁画と呼ばれるようになった。おおよそ1400年前に東アジアで行われていた政治、経済を記録した大変貴重な資料であるといえる。また一部の図像には敦煌莫高窟壁画やキジル石窟壁画などからの影響が指摘されている [写真3]。

アフラシアブ遺跡の保存と課題

この遺跡より出土した壁画の一部はタシュケントにあるウズベキスタン国立歴史博物館に所蔵されており、蛍光X線分析などの光学調査が行われている。濃

青色に彩られた兜は検出結果より宝飾品に用いられるラピスラズリが塗られていることが推測される。武人の顔からはPb（鉛）が検出されており、鉛白と呼ばれる白色の顔料が使われていたことが確認されている。この顔料は西洋を始め、日本や中国でも古くから現在まで使用されており、絵画材料の側面からも東西の文化流通をうかがい見ることができる［写真4］。

　今回再現を行うこととなった白象の壁画は、左壁（南壁）の左側に描かれている［写真5］。左壁全体は、中央に最も大きく描かれた「ワルフマーン王」と思われる騎乗した人物を中心に、馬やラクダに乗った男女の行列が南壁左端に描かれた都市、あるいは城塞の中に入城する様子を表現している。行列の中にはゾロアスター教の神官を表す白いマスクで口を覆った人物がふたりいることから、この壁画は葬列など儀礼的な主題が描かれていると考えられている。白象の背上の大部分は失われているが、壮麗な鞍敷きの後尾には乗り手の女性が一人残されている。女性の前方の失われた部分には、この女性が膝上に抱えていたハープや他の楽人が描かれていたという見方もある。この壁画が発掘されてから半世紀以上の時が経過したが、描かれた図像の解釈は複数あり、現在でも研究者による解明が続けられている。それには欠損部分が多いことに加え、銘文の解読が困難であること、残された資料が少ないことなどが挙げられる。しかし、現在も発掘調査が続けられているため、いつの日か解決の一助となるような発見があるかもしれない。

　「外国使節の間」壁画は、発掘後に気圧の変化などから崩壊の危険にせまられた。その後すぐに各研究所からの専門家を招き、壁画の保存処理が施された。現在では公開のためにアフラシアブ博物館の展示室の壁面に固定され、訪れた人がいつでも鑑賞で

［写真5］白象部分

［写真6］アフラシアブ博物館

きるようになっている。その反面、簡単に持ち出すことができず、博物館外での展示が困難となった。ソグドおよび中央アジアなどの歴史を知る上でも貴重な文化資料であるこの壁画を、国内にとどまらず海外でも展示を行い、ウズベキスタンの文化や歴史、美術をより多くの人に知ってもらうことを目的として、クローン文化財を制作することとなった［写真6］。

（松原亜実）

参考文献

香山陽坪、「アフラシアブの発掘—サマルカンド新発見の壁画」、『東海史学』1号、1966年
影山悦子、「サマルカンド壁画に見られる中国絵画の要素について：朝鮮人使節はワルフマーン王のもとを訪れたか」、『西南アジア研究』49号、1998年
早川泰弘、古庄浩明、青木繁夫、「オタベック アリプトジャノフ、ハンドヘルド蛍光X線分析装置によるウズベキスタン国立歴史博物館所蔵資料の材料調査」、『保存科学』23号、2013年
帯谷知可、『ウズベキスタンを知るための60章』、明石書店、2018年

制作ノート Process

3Dスキャンにより凹凸まで忠実に再現

調査は画像撮影者、3Dスキャン、色合わせの三手に分かれて行った。展示室には作品の保護のために柵が設置されているが、特別にその中に入り調査を行う許可を得ることができた。壁画の保存上暖房器具がつけられないため、防寒対策をした上での調査となった。

① 現地調査の様子（高精細分割撮影）

①高精細分割撮影

現地での高精細デジタル分割撮影では画像1枚あたり4億画素という大きな容量で撮影することができる。拡大すると顔料の粒子や細かな割れも確認できる一方、完成度のクオリティに直結するため、ピントを厳密に合わせることが重要であった。

②3Dスキャン

壁画のスキャンは、ハンディタイプの3Dスキャナを用いて計測を行った。スキャナを1m前後の距離を保ちながら壁画に向け、ゆっくりと移動し

② ハンディスキャナによる3Dスキャン

③目視による色合わせ

ながら撮影した。この計測により壁画上にある凹凸を正確に記録することができた。

③目視による色合わせ
持参してきた画像資料にオリジナルと見比べながら、ここはもっと暗い、画像より赤味が強いなど所見を鉛筆で書き込んでいく。また持参した色カードにパステルで色をつけ、壁の図ごとの地色や特徴的な色を選択し、色合わせを行った。この目視による色合わせや状態の記述は、画像データ上で色調補正などの編集を行う際の重要な資料となった。

④-A 壁画表面の3Dデータ

④3D切削機による壁面凹凸の再現
帰国後、切削を行う材料の試作を検証した結果、ケミカルウッドを用いることとなり、クローン文化財を制作することが決まった壁面のスキャンデータにそれぞれ位置情報を整え、切削加工が可能なデータに編集を行った。その上で、3D切削機により切削を行い壁画表面の凹凸を忠実に再現した。

④-B 3D切削機による切削

⑤デジタル画像編集
高精細撮影した画像は分割されているため、原寸大の一つの絵となるように画像編集ソフトで

⑤ デジタル画像編集

合成。この画像を試出力し、現地にて色合わせした色カード資料を参考に、色調補正を行った。この壁画の青色はラピスラズリが顔料として用いられていると言われており、実際の顔料の色と比較しながら色調補正した。さまざまな手漉和紙や印刷用和紙を用いて試作し、その中で最も美しく出力された印刷用和紙を本紙として選定した。

⑥画像の貼り合わせ

印刷した本紙を、表面の3D切削を行った支持体に糊で貼りつけていく。この時、切削跡と図がずれないようあらかじめ画面半分のみを重りで固定し、反対側の本紙を持ち上げ支持体側に糊づけして貼りつけを行った。反対面も同様に行い、糊が完全に乾燥する前に、土台よりはみ出している本紙をちぎるように除去した。

⑦手彩色、仕上げ

最後に、顔料で手彩色をした。図像ごとにパーツをつなげ、違和感なくつながるように彩色を施した。また絵画面とつながるように支持体の周囲にも彩色を行い完成させた。

⑥ 画像の貼り合わせ

ウズベキスタンを訪れ、オリジナル作品を間近で観察し調査を行えたことは、クローン文化財を制作する上で素晴らしい機会となった。ウズベキスタン・サマルカンドというと青いモスクが印象的で、筆者もレギスタン広場の美しい建物やバザールに心が躍った。さらに独自の文化が息づくさまを、壁画や出土品などからも感じることができた。今回制作したクローン文化財がより多くの人の目に触れることで、ウズベキスタンの文化や歴史の魅力を伝える一助となることを願っている。

（松原亜実）

⑦ 手彩色、仕上げ

日本絵画

JAPANESE PAINTINGS

浮世絵の展開
Application to Ukiyoe

浮世絵は、日本の文化を紹介する上で欠かせない芸術のひとつだ。江戸庶民たちを魅了した
ばかりでなく、ゴッホなど西洋の芸術家にも影響を与えジャポニズムの源ともなった。斬新な
構図や色彩から現在も根強い人気を誇る浮世絵だが、支持体となる紙の脆弱さや用いられた
染料が光によって退色しやすいことなどから、作品の保存と公開の問題に悩まされてきた。

　そこで、東京藝術大学ではクローン文化財の技術により、光に晒された環境下でも展示が
でき、さらに実際に触れてその魅力を体験できるような浮世絵の再現と公開事業に取り組む
こととした。また、クローン文化財の制作では一般公開禁止という条約により100年もの間人
びとの目に触れることなく保存されてきた制作当初の趣を伝えるスポルディング・コレク
ションの画像を利用することにより鮮やかな色彩の再現に成功した。

　さらに、浮世絵の図像を用いたアニメーションの制作や、浮世絵の画題から連想する香料
を作品に施すなど、古典と現代とを融合させるさまざまな試みを行うことで、多角的に浮世
絵の魅力を伝えるプロジェクトを手掛けた。

油彩画に影響を与えた浮世絵

フィンセント・ファン・ゴッホ《雨の大はし》(左上)、《梅の開花》(右上)
歌川広重《名所江戸百景 大はしあたけの夕立 》(左下)、《名所江戸百景 亀戸梅屋舗》(右下)。すべてクローン文化財

浮世絵は19世紀後半に陶器などの輸出品の緩衝材として日本から西洋に渡ったともいわれるが、その独特な色彩感覚や構図が現地で高い注目を集め、ジャポニズムと呼ばれるムーブメントを引き起こす一役を担った。モネやルノワールといった印象派の画家たちをはじめ、ゴッホやその周辺の画家たちも浮世絵から影響を受けたことは有名な話だが、特にゴッホは浮世絵を繰り返し模写したことで知られる。ゴッホは32歳でパリに移住し、そこで浮世絵と出会いその構図や色彩に魅了された。オランダ・ゴッホ美術館には、歌川広重の《名所江戸百景 亀戸梅屋舗》と《名所江戸百景 おおはしあたけの夕立》をゴッホが油彩画で模写した作品が残されている。現在もなお世界中の芸術家たちに影響を与えるゴッホの独創的な作品が生まれた背景には、浮世絵から得た自由な着想もあったのだ。その後、印象派の作品群が日本へ紹介されるのと相まって、浮世絵は国内でも再評価されることとなった。

浮世絵の保存における難点は、植物系の染料が使われていることで経年により色が褪せてしまうことにある。そのため、制作当初の姿を現在に残す浮世絵の作品は世界的にもわずかだ。東京藝術大学では、連携企業であるNHKプロモーションの協力のもと、奇跡的とも言える良好な保存状態を誇るスポルディング・コレクションの作品群の高精細画像を得た。これにより、褪色前の染料本来の美しい色彩や繊細なグラデーションに加え、版木の刷り跡までも再現したクローン文化財の制作に取り組むことが可能となった。

また、こうして制作した浮世絵のクローン文化財を同じくクローン文化財によって再現したゴッホの模写と並べて展示することを試みた。こうして、クローン文化財の技術によって、本来であれば叶うことの難しかった、オランダとアメリカにある二つの作品の国境を越えたコラボレーションが実現した。

かおる浮世絵

香りを加えた浮世絵の展示風景

喜多川歌麿《名所腰掛八景 ギヤマン》 クローン文化財

2016年7月に開催された文化交流施設「LUMINE 0」（ルミネゼロ）での展示では、浮世絵の画題にちなんだ香りをクローン文化財に加えるという新たな試みに挑んだ。元来、日本には香道や聞香といった文化があり、江戸時代には町人層にも浸透しさまざまな方法で香の文化が楽しまれていた。また近年、研究事業や新規産業において嗅覚は五感のなかでも特に注目を集めている。「感動」を創造する芸術と科学技術による共感覚イノベーションを主旨とした東京藝術大学COI拠点では、浮世絵を香りと結びつけることで、作品の鑑賞方法におけるイノベーションを探ろうと考えた。

　そこで、小川香料の協力により、作品の画題が想起されるような香料の研究を行うこととなった。例えば、東洲斎写楽の《三代目大谷鬼次の奴江戸兵衛》には、鬢付け油を付けた凛々しい江戸の男をイメージし、深く落ち着きのある白檀と力強い麝香を清々しい生姜の香りで引き締めた香料を纏わせた。また、

歌川広重の《名所江戸百景 亀戸梅屋舗》には、柔らかな甘さを有した梅屋敷を想起させるよう、年輪を重ねた梅の木の重厚な香りをつくった。その他にも、喜多川歌麿の《名所腰掛八景 ギヤマン》には、百合と水仙に柑橘を組み合わせ、雪に融ける恋心の香りを演出し、梅・牡丹・若葉の香りでギヤマンの透明感を思わせる香りを生み出した。

　古くから日本で親しまれてきた香りの文化を浮世絵に取り入れることで、作品に込められた江戸の洒落や粋を、嗅覚からも感じることのできる新たな鑑賞方法を生み出すことができた。クローン文化財でしか実現し得ないこの方法は、目の不自由な鑑賞者に対しても新たに浮世絵の魅力を伝える画期的な展示を可能にした。

展示風景「謎解き「ゴッホと文化財」展つくる文化 ∞ つなぐ文化」、そごう美術館、2021年

展示風景「東京藝術大学スーパークローン文化財展　素心伝心」、新居浜市美術館あかがねミュージアム、2021年

／日本絵画　　　　／浮世絵の展開

アニメーションと拡大された浮世絵

浮世絵に描かれるモチーフには様々な意味が込められており、人物の衣類の文様や立ち振る舞い、さりげなく描かれた風物により、一瞬を切り取った場面にも物語を感じさせる仕掛けが施されている。繊細に彫りこまれたその世界にはすべて意味があり、その内容を読み解く面白さは、江戸へとタイムスリップするような感覚にさえ導かれる。東京藝術大学では、そうした浮世絵の世界観を現代のアニメーション技術によってさらに引き出すコンテンツをつくり出した。アニメーション制作には、アニメーションの制作者と浮世絵の研究者が協力し合い、浮世絵の優美で繊細な線はそのままに、ただモチーフを動かすのではなく、画題の持つ意味や物語を加味した動きを目指した。さらに、主に歌舞伎で用いられる、雨や風の音など様々な音を真似てつくる擬音という技術によってサウンドを作成し使用した。

また、浮世絵世界の忠実な再現に終始せず、現代的な新しい趣向を取り入れることも今回の取り組みで目指す点であった。そこで、歌川広重の《日本橋朝之景》を取り上げ、作中で日本橋を歩く江戸時代の人びとが、現代の日本橋へタイムスリップする物語を構想し映像化した。可笑しさや愛嬌あふれる江戸の人情と、現代的な光景が融合した世界観をアニメ調の3DCGで制作し、現代版浮世絵ともいえる作品が完成した。

さらに、高解像度画像で撮影された浮世絵を原寸の5倍に拡大して巨大化させた作品を制作し、髪の毛一本一本まで表現された浮世絵の細やかな図像に注視できるようにした。分業制で制作されたことが知られる浮世絵の、職人たちが技を競い合うことで生まれた卓越した技術と、絵師たちが見ていた江戸の情景をより鮮明に感じられる展示が可能となった。

（並木秀俊）

足立美術館
横山大観
Yokoyama Taikan, Adachi Museum of Art

島根県安来市に位置する足立美術館は、近代日本画や陶芸の1500を超える所蔵品を有する。
なかでも横山大観の作品は約130点にも及び、"大観美術館"との異名ももつ。日本一と評され
る壮麗な日本庭園も有名な本館には、こうした名コレクションを一目見ようと国内外から毎
年50万を超える人びとが足を運ぶ。一方で、作品保存のためには常時これらを公開しておく
ことは叶わない。

　大観の没後からはまだ100年も経ておらず、作品も一見して劣化が少なく鮮やかな色彩を
湛える。しかし、こうした鮮麗な作品を可能な限りその姿で保ち後世に伝えるためには、長
期的な見通しで予防を考えることが必須だ。足立美術館では、作品の公開を制限することで
作品保存の徹底に努めるが、一方で各所より集まるすべての来訪者へ常に作品の感動を共
有したいという想いを抱えている。

　クローン文化財が担うのは、劣化や損傷、消失した文化財の復元による芸術性の蘇生ばか
りではない。現在進行形で紡がれていく芸術の命を後世につないでいく役割もまた重要だ。
こうして、横山大観筆《山海二十題》うち8点と《紅葉》のクローン文化財制作を行った

濃彩の《紅葉》

横山大観（1868-1958）は、現在の茨城県水戸市に生まれ、東京藝術大学の前身・東京美術学校日本画科に第一期生として入学。戦中の激動期も含み明治・大正・昭和の三世を駆け抜け、伝統の継承と破壊、そして新たな日本絵画の創造に尽力した。まさに、近代日本画の歩みとともに生きた人物だ。

大観筆《紅葉》は六曲一双の大画面、群青の海を背景に至極鮮やかな朱に染まる紅葉が今まさに盛りと描かれ、見るものを一瞬で圧倒する。群青と朱の呼応が織りなす煌びやかさにさらなる拍車をかけるのは、海面を表す白金（プラチナ）泥の漣と、画面の大部分に惜しみなく撒かれた白金の砂子、切箔、野毛による霞だ。制作開始当初、大観はこの絵を墨と金泥で描こうとしていたが、京都の画材屋で手にした質の高い朱の美しさに魅了され、急遽濃彩で描くことを決めたという。その逸話通り、本作では朱の鮮やかさが全面に引き出され、その画面がもつ特筆すべき装飾性には琳派への憧憬も指摘されている。近代化の黎明期、国内だけにとどまらず海を越えて新たな感性を吸収した大観が、あらためて自国の風土やそこに根付く普遍的な美意識に想いを寄せ描いた作品といえる。

①基底材の推定

まずは、作品に使用された基底材の推定を行った。修復や表具の専門家にも意見を仰ぎ、マイクロスコープ撮影で得た紙繊維の特徴を主な手がかりに検討した。その結果、《紅葉》には雲肌麻紙の使用が推定された。これは、1926年の開発以来大観も愛用したことで知られ、現在も日本画用紙として一般的な紙だ。クローン文化財制作にも現行品の雲肌麻紙を用いた。

① 基底材の推定

②色合わせカード

日本画で用いられる岩絵具や胡粉は、天然鉱石や貝殻を砕いて粒子状にしたもので、膠で練ったあとに水に溶かして用いる。こうした岩絵具特有の色彩を記録するため、実際に岩絵具を塗布したカードを複数用意し、オリジナルと照らし合わせた。

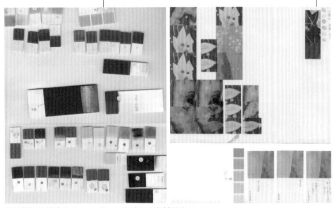

② 岩絵具を塗布したカードとオリジナルを対照する

③試し刷りやサンプルの作成を繰り返す

④絵具を吹きつけることでオリジナルの彩度を再現

③試し刷り

単に和紙に出力しただけでは単調な印象になるため、本紙全体に基礎的な白色下地として放解末や胡粉を塗布することで、岩絵具特有の粒子感を再現した。試し刷りやサンプルの作成を繰り返し、その都度オリジナルと比較することで色彩の再現性を高めた。

④彩度の再現

制作にあたり特に注力したのは、息をのむような群青と朱の発色、そして惜しみなく使われた白金泥および白金箔の再現だ。煌びやかな作品全体の印象を再現すべく、朱の紅葉と群青の海の部分は実際の絵具を塗布あるいは吹きつけることでオリジナルの彩度を再現した。

⑤繊細な作業を重ねる

白金泥や金泥の部分はあらかじめ薄く印刷した図像を頼りに一筆一筆描いた。さらに、白金箔で施された切箔・砂子・野毛の部分も完全再現すべく一枚一枚正確な位置に箔を置いた。こうした緻密な調査と気の遠くなる繊細な作業の末にクローン文化財が完成した。　　　　　　　（林 樹里）

⑤一筆ごと、一枚ごと再現する繊細な作業の末に完成

参考文献

横山大観記念館, 長尾正憲編,『大観の画論』, 鉦鼓洞, 1993年
古田亮,『横山大観—近代と対峙した日本画の巨人』, 中央公論新社, 2018年

横山大観《紅葉》(左隻)
クローン文化財

横山大観《紅葉》(右隻)
クローン文化財

淡彩の《海山十題》

《海に因む十題・山に因む十題》、通称《海山十題》は、1940年の紀元2600年の祝賀に際し海十題、山十題の計20幅を描いた連作だ。彩管報国、すなわち絵筆を持って国に奉仕する精神を持っていたことで知られる大観は、これらの売上をすべて国の陸海軍に寄贈した。日本の美しい自然を描いたこれらの作品には、「日本人として誰れでももっている筈の気魄」が込められている。本作が制作されたのは、大観が72歳を迎え、東京美術学校卒業後画業50年にあたる節目の年だった。

　作品は「横山大観紀元二千六百年奉祝記念展」で発表されすべて売却されたが、戦後多くが所蔵を転々とした。特に《海山十題》のうち《龍踊る》と《海潮四題・秋》の2点は長くその行方がわからずにあったが、2002年に発見されたことで、全20点の現存が60年ぶりに確認された。そして、足立美術館初代館長の遺志を引き継ぎ、苦労の末に足立美術館にて《海山十題》全作品が一堂に会することが叶った。雲間からのぞく荘厳な富士の姿や、静けさと激しさを併せ持つ悠然とした海の情景からは、まさに大観が生涯をかけて表そうとした"気韻"を感じる。

　《紅葉》および《海山十題》のクローン文化財制作は、足立美術館の全面的協力のもと2016年夏より約3年かけて進められた。高精細デジタル撮影を含む計7回の現地調査を行い、目視調査に加え、マイクロスコープでの拡大観察、さらに蛍光X線分析による色料の科学的調査を実施。これにより、作品の保存状態の記録や素材の推定が可能となり、オリジナルの素材や質感に可能な限り近づけた一層精度の高い再制作が可能となった。

①宣紙の選定

《紅葉》同様に各調査を行った。《海山十題》は中国の紙に描いたという記録に加え、サンプルとの比較やマイクロスコープでの観察結果をもとに、オリジナルの風合いに近い宣紙を制作に用いることとした。

②色カードの作成

本作は《紅葉》の濃彩に比べ、水墨を含む淡い色使いといわゆる「朦朧体」と称されたぼかし表現が特徴的だ。この繊細な色彩と微妙な階調を表現するのに苦労を要した。色カードを作成して現地でオリジナルと比較し、その場で微妙な差異を記録していく。

① 非破壊、非接触による蛍光X線分析の様子

② 色カードを作成して現地でオリジナルと比較

③ コンピュータ画面上での編集の様子

④ 全体としての印象を合わせる

③色の確認
印刷の基本として、コンピュータ画面上で色が正確に見えても、用紙や設定が変われば当然出力される色域や彩度が異なり、それは出力しなければ確認できない。そのため、現地で作成した色カードをもとに試し刷りと微調整を繰り返しながら少しずつオリジナルの色に近づけた。

④印象を合わせる
作業後半には、部分ごとの色の調整に加え、全体としての印象を合わせる作業も必須となった。特に、丁寧なぼかしで表現された部分はその柔らかな階調が出力時に潰れてしまうという問題があり、その改善に苦心した。

⑤手彩色、完成
8点のうち、《霊峰四趣・夏》は富士に群青が用いられており、この部分には実際の絵具を吹きつけた。そのほかの作品にも出力で表現できない金属泥の部分には手彩色を施した。最後に、それぞれ富士の山頂や波飛沫を胡粉で引き締め完成となった。

(林 樹里)

⑤ 実際の絵具を吹きつけ、手彩色を施して完成

参考文献
「発見された幻の名画：横山大観『海山十題』展」展覧会図録, 東京藝術大学大学美術館, 2004年
『別冊太陽 日本のこころ142：気魄の人 横山大観』, 平凡社, 2006年
「足立美術館大観選」展覧会図録, 財団法人足立美術館, 2012年

《曙色》 クローン文化財

《海潮四題・夏》 クローン文化財

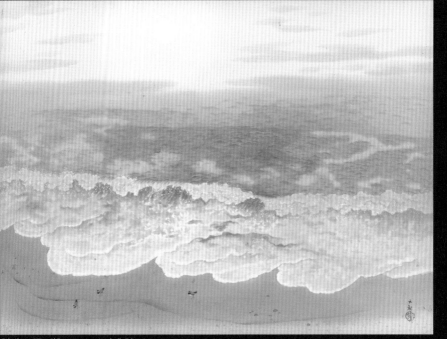

《海潮四題・秋》 クローン文化財

《海潮四題・冬》 クローン文化財

《霊峰四趣・夏》 クローン文化財

《乾坤輝く》 クローン文化財

《龍踊る》　クローン文化財

《雨霽る》　クローン文化財

フリーア美術館、茨城県立歴史館
雪村
Sesson, Freer Gallery of Art and
Ibaraki Prefectural Archives and Museum

16世紀の画僧雪村による《猿猴図》および《寿老人図》は元来三幅対だったとされるが、戦後
所蔵を転々とし、現在はそれぞれ茨城県立歴史館とアメリカのフリーア美術館に所蔵される。
　フリーア美術館は、アメリカ合衆国首都ワシントンD.C.に位置する世界最大の博物館群・ス
ミソニアン博物館のひとつだ。アジア全般の美術を専門に扱い世界有数の日本美術コレク
ションを持つが、創設者フリーア氏の遺言により所蔵品はすべて門外不出となっている。この
ことも相まって、《猿猴図》および《寿老人図》は長らく三幅対として並ぶ機会を得ずにいた。
そこで東京藝術大学ではこうした状況にある三幅すべてをクローン文化財で再現し、両館に
補完することを試みた。それぞれ複数回の現地調査を行い、2019年から3年がかりで制作に
取り組んだ。また、《寿老人図》の制作当初を想定したスーパークローン文化財と、制作時の筆
の動きをイメージしたアニメーションも制作し、多角的に作品を捉え提示する試みも行った。
　さまざまな理由から海外に所在し日本への持ち出しが困難な作品が世界には多数あるが、
クローン文化財はその解決の糸口となり研究や鑑賞の一助となり得る。

雪村の筆の動きを再現する

①高精細デジタル撮影と画像合成

アメリカ・フリーア美術館へは2019年に計2回、茨城県立歴史館へは2019年から2021年にかけて計6回、現地調査で赴いた。高精細カメラによる撮影並びに各種計測を実施し、同時に色合わせなど芸術家の審美眼に基づく色彩や質感等の調査も行う。分割撮影したデータを合成し、原寸大の画像を作成する。

①現地調査の様子

②本紙準備

熟覧調査から得た知見をもとに、紙の繊維や風合いが原本と類似する宣紙を再現の本紙として選定した。出力の準備として、本紙を薄美濃紙で肌裏打して補強し、ドーサを塗布して滲み止めを行う。さらに、本紙にさまざまな下地処理を施したサンプルで、出力時に原本の印象に最も近い方法を検証する。

②本紙準備

③カラープロファイルの作成

本紙として選定し下地処理を施した紙のカラープロファイルを作成する。通常の写真用紙などと異なり、紙自体にもわずかな色味があるため、これを測定したデータをデジタル上に取り込み、出力に反映させる。また、紙によってプリンタのインクで再現可能な色域が異なるため、これを測定してデジタルとアナログそれぞれで再現する領域を明確化していく。

③色の測定

④色調補正

携帯可能な印刷機を茨城県立歴史館に持参し、ポイントとなる各箇所の画像データをマット紙に出力、高演色ライトのもとで原本と比較しながら、色調補正と出力を繰り返す。これにより、原本に限りなく近い色サンプルを作成し持ち帰る。その後、本紙となる宣紙に大型印刷機で出力し、これを現場と同条件の高演色ライトのもとで色サンプルと比較、その結果をもとにデータの補正と出力を繰り返してオリジナルの色調に近づける。

④色調補正と比較

⑤ 手彩色

⑥ 表装裂の色合わせ

⑤手彩色

宣紙は通常の印刷用紙に比べ出力時に再現できる色域の範囲が狭い。そのため、濃い墨色の部分は再現に限界がある。こうした出力で再現不可能な色域部分をあらかじめデジタル上で割り出して画像上にマッピングし、これをもとに手作業で墨色を補う。

⑥表具

原本の表装裂の文様になるべく類似する裂を新たに織って用意し、草木染めで古色をつけて経年変化を再現する。なお、スーパークローン文化財《寿老人図》は、制作当初の様子を復元するため、古色はつけず表装した。（表装：寺門泰清堂）

描かれた当初を復元

スーパークローン文化財

《寿老人図》のスーパークローン文化財制作に際しては、目立つ染みや擦れ跡を除去し制作当時の状態を復元する。欠損していた署名落款については、専門家に意見を仰ぎつつ雪村筆《蔬果図》(福島県立美術館蔵)の落款署名を参考に復元した。

欠損した
落款署名を復元

（林 宏樹＋林 樹里）

はなればなれの三幅対が復活
雪村《猿猴図》(左、右)、《寿老人図》(中央)
クローン文化財

日本絵画の紙

林宏樹

こんにちの和紙は、手漉きのものから機械漉きまで多くのものが存在する。これほど長く日本で愛されている和紙にはさまざまな魅力がある。透き通る性質や柔らかい肌合い、柔軟性がありながら丈夫でもある。また彩色を施せば、滲んだ表情や和紙の繊維が偶然の質感を生み出す。水墨画のような墨を用いた技法では、未加工であれば墨が繊維まで染み込むことでより深淵な黒を表現することができ、滲み止めを施せばたらし込みと呼ばれる効果が生じる。こ

のように描き方の工夫だけでなく、和紙の種類や、加工の仕方の選択によってさまざまな表現に発展する。和紙の風合いは原料となる靭皮繊維の種類とも関係する。長繊維である楮を用いた和紙は、強靭で扱いやすい。そのため描画用の本紙としてだけではなく、裏打という和紙を貼り合わせて本紙の強度を高める用途にも使用される。一方、短繊維である三椏、雁皮を原料とする和紙の表面はきめ細やかであり、箔を押せば滑らかな反射が生じる。

　クローン文化財の制作ではこのような和紙の性質や技法を積極的に活用している。プリンタで和紙に印刷をする際、薄手のものは巻き込んでしまうため使用するのは困難であったが、裏打によって厚みを増すことで印刷可能となる。さらに、柔軟性のある和紙は、下の色や凹凸の質感を覆い隠すことなく沿わせて貼ることができるため、立体物へ印刷物を貼ることができるようになった。また、竹尾と共同研究により開発された国産の楮を使った相剥ぎ可能な二層紙は、クローン文化財の制作において、効率化と色彩の質の安定化を実現させた。伝統的な和紙の活用方法や表現力の可能性は、今後も研究の対象として発展していくだろう。

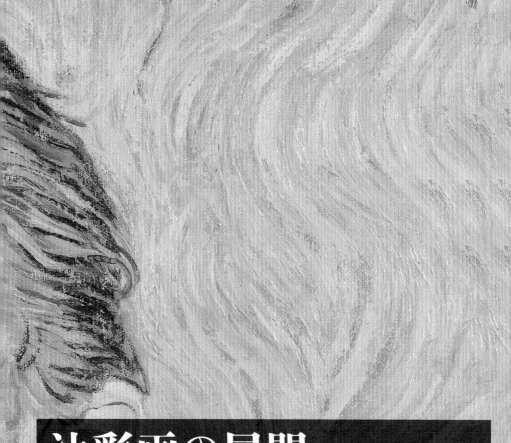

油彩画の展開
マネ、モネ、ゴッホ

Application to Oil Paintings;
Édouard Manet, Claude Monet, and Vincent van Gogh

東京藝術大学COI拠点では、紙や絹を用いて開発してきたクローン文化財の複製技術を応用し、油彩画のクローン文化財制作にも取り組んでいる。

これまでに、オルセー美術館などが所蔵する油彩画の高精細撮影を実施し、取得したデジタル画像データを用いて、世界の名画と謳われる油彩画のクローン文化財25点を制作した。独自の技術によって、色彩だけでなく表面の凹凸や経年変化による絵具の亀裂など、細部までをも忠実に再現し、質感を伴う高精細複製により作品本来の魅力を伝えようと努めている。

さらに、作品に描かれた世界の立体化、VRや映像の新技術を活用した作品展示など、クローン文化財に付随するコンテンツを同時に制作することで、作品に関する新たな魅力の発見を促すような、これまでにない作品鑑賞体験を提示する試みを続けている。

制作ノート **Process**

油彩画のクローン文化財制作

①デジタル画像編集
デジタル画像データをPC上で色分析。この際、現地で行ったデジタル調査結果に加え、目視等によるアナログ調査結果も加味し、よりオリジナルに近づくよう色調整する。

① デジタル画像編集

②土台となる下地づくり
作品の土台となるキャンバスを選定。選ぶ際にはオリジナルのキャンバスに織り目が似ているものを選び、完成後の質感を損なわず、且つデジタル印刷に適したキャンバスの下地づくりを施す。

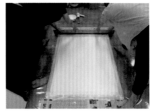
② 土台となる下地づくり

③表面の筆致
作品ごとの筆致や絵具の厚みなどの凹凸を研究し、構図や亀裂を再現した質感を手作業によりキャンバスの表面に再現する。

③ 表面の筆致

④キャンバスへの印刷と位置合わせ
超高精細画像データの印刷に最適化した独自のプロファイルで印刷する。この際に、表面に施した筆致と印刷が完全に合致するように正確な位置合わせも同時に行う。

④ キャンバスへの印刷と位置合わせ

⑤表面の出力結果の手彩色
インクと油絵具の性質の違いでわずかに差が出る色差分を検証し、油彩画の専門家によるオリジナルに用いられた絵具の分析とともに手彩色を行う。

⑤ 表面の出力結果の補彩

⑥光沢の再現
油彩画の特徴のひとつとして画面の光沢が挙げられる。オリジナルに塗られている樹脂を用いたワニスを同様に塗り、光沢も再現して完成。

（林 宏樹）

⑥ 光沢の再現

展示風景「東京藝術大学スーパークローン文化財展 素心伝心」
新居浜市美術館あかがねミュージアム、2021年

ドミニク・アングル《泉》
クローン文化財

クロード・モネ《日傘をさす女（左）》
クローン文化財

エドゥアール・マネ《笛を吹く少年》を
ハイパー文化財として立体的再現

近代絵画の祖とも称されるエドゥアール・マネの《笛を吹く少年》では、高精細デジタル画像から抽出した筆致やひび割れまでもクローン文化財として再現した。さらに進んで絵画に描かれた世界の立体化をも試みた。

　東京藝術大学彫刻科出身の研究員が中心となり、描かれた木製の横笛「ファイフ」のサイズから少年の身長を推定。当時の鼓笛隊の服装などを参照しながら粘土で原型を制作し、石膏で型どりした。その上に油画科出身の研究員が油彩画で彩色し、完成させた。

　彩色では平面を立体化する際に実際は影が落ちない手、腕の部分は絵具で影を表現した。一方ズボン部の影は立体化によって実際に光源の影響で生まれる影を生かして絵画の陰影表現を再現した。

　平面作品を三次元化することで、次元を超えた作品鑑賞が可能となった。今後の試みとして、現代科学技術のもとで、実際に笛を吹かせ、体の動きや音色などの時間までも表現し、さらなる次元の超越に挑戦する。《笛を吹く少年》が内包しているさまざまな芸術的価値を、技術・材料の制約から解放し、表現するハイパー文化財の開発を進めている。

エドゥアール・マネ《笛を吹く少年》　クローン文化財

エドゥアール・マネ《笛を吹く少年》　ハイパー文化財

フィンセント・ファン・ゴッホ《オーヴェルの教会》クローン文化財(右)
そごう美術館での展示風景

「超くわしい美術館」

「超くわしい美術館」は、クローン文化財を活用した
作品鑑賞の新たな試みとして制作された。作者はど
のような人生を送ったのか、色彩にはどのような工
夫がされているのか、筆致は作品の印象にどう影響
するのかなど、作品に隠された謎を解く手がかりと
なるVR映像や立体模型などのコンテンツをクロー
ン文化財と並列的に同時に提示。作品を多面的に捉
えることで新しい魅力、見過ごしていた魅力にアク
セスするきっかけをつくり、芸術作品がはらむ重層
的な問いと、感動の入口を鑑賞者に提供する試みと
なった。2021年にそごう美術館で開催された「謎解
き「ゴッホと文化財」展─つくる文化∞つなぐ文化」
などで展開され、子どもたちが謎解きを楽しみなが
ら作品鑑賞できるコンテンツとして注目を集めた。

VR映像や立体模型などの謎解きコンテンツ

ハイパー文化財ではゴッホの後ろ姿も見ることができる

浮世絵ゴッホ

ゴッホの作品には、浮世絵などの日本文化からの影響が強く見て取れる。もし、ゴッホに影響を与えた浮世絵師たちが、逆にゴッホの絵に影響を受けたとしたら、どのような作品を制作するのだろうか。そんな素朴で自由な発想から、この作品の制作は始まった。ゴッホの自画像の背景は油彩の筆のタッチによって表現されている。これを木版画の彫りのタッチで表現するとどうだろうか。また、顔の陰影を限られた色による多色刷りで表現すると、このようになるのではないか。さらに、浮世絵師たちは本来見えないはずのゴッホの後ろ姿を表現してしまうのではないか。そうした、もしもの世界をハイパー文化財として形にした。

(林 宏樹)

フィンセント・ファン・ゴッホ《自画像》のクローン文化財(右)とハイパー文化財(左)

ゴッホ 幻の《ひまわり》

The Lost "Sunflowers," Vincent van Gogh

オランダ南部の牧師の家に生まれたフィンセント・ファン・ゴッホ (1853-1890) は、大胆な筆致や強烈な色使いで、感情を率直に表現した独自のスタイルを確立し、ゴーギャンやセザンヌと並び、ポスト印象派を代表する画家として、その後の20世紀以降の芸術にも多大な影響を与えた存在である。また現在でも世界で最も愛され、人気を誇る画家のひとりである。

　ゴッホの代表作といえば《ひまわり》の連作を思い浮かべる人も多いのではないだろうか。南フランスのアルルの街で描かれた《ひまわり》の連作は、世界中の人々に親しまれ、芸術の枠を超えひとつのアイコンとしても人気を博している。

　そんなゴッホの《ひまわり》が、大正時代にすでに日本にあったことはあまり知られていない。西洋美術を紹介するための美術館(白樺美術館)創設のために、初めて日本にやってきたゴッホの作品である。「芦屋のひまわり」と呼ばれているこの作品は、残念ながら第二次大戦時の空襲により焼失してしまった。日本に西洋美術を広めたいという夢が託されていた「幻のひまわり」を、スーパークローン文化財としてよみがえらせた。

文豪を魅了した幻の《ひまわり》

ゴッホの代表作で連作の《ひまわり》は、自身の描いた作品の再制作も含めて全部で7点制作されている。背景が青などの寒色系のものと、黄色のものの2種類に分類することができ、花びらの黄色と補色関係にある青を背景に使用した作品では、ひまわりの花びらが浮き上がって見え、存在感を示している。一方、背景に黄色を使用した作品では、背景に花が埋もれてしまわないよう、うねるような筆致と、ひまわり、花瓶、背景で色調に少しずつ変化を加えることで、似た色を使いながらも、それぞれの存在が独立して、生き生きとしたひまわりとして描かれている。

この連作のうち2番目に描かれ、他の《ひまわり》とは違い、鮮やかな青が背景に使われた特徴的な作品こそ、かつて日本へ持ち込まれ、「芦屋のひまわり」と呼ばれていた作品である。

「芦屋のひまわり」は、関西の実業家・山本顧彌太が、1920（大正9）年に白樺美術館のために私費を投じて購入したものである。武者小路実篤をリーダーに志賀直哉、岸田劉生らで結成された白樺派は、文学だけでなく美術作品も紹介しており、西洋美術から得られる感動を広げたいと白樺美術館の設立を計画、本作の購入もその思いに賛同してのことであった。しかし、白樺美術館設立は結局実現せず、山本氏の神戸市芦屋の自宅応接間に飾られていた《ひまわり》は、広島に原子爆弾が投下された日と同日、1945（昭和20）年8月6日、神戸大空襲により焼失し、「幻のひまわり」となってしまったのである。山本は、いつの日か白樺美術館が実現するまで作品を預かっているという気持ちで、大切に保管しており、実際に銀行に預けようともしていたが、温度、湿度を保てないとの理由で断られてしまい、致し方なく自宅に置いていた末の悲劇であった。

この作品が印刷された図版はほぼすべてモノクロで、その色彩を伝えるものは、『白樺』1921（大正10）年2月号の口絵のほかは、同年6月に白樺社が発行した『白樺社発行 セザンヌゴオホ画集』が数少ない資料として残されていた。そこで、わずかながら残された資料を手掛かりに復元を行った。多くの人々に直に作品を見てもらいたい、西洋美術を日本に広めたいとの夢が継承され、スーパークローン文化財として《ひまわり》をよみがえらせるに至った。

（小俣英彦）

《ひまわり》の前で 山本顧彌太と武者小路実篤
（画像提供：調布市武者小路実篤記念館）

『セザンヌゴオホ画集』
（画像提供：調布市武者小路実篤記念館）

フィンセント・ファン・ゴッホ《ひまわり》　スーパークローン文化財

制作ノート Process

わずかな手掛かりを
もとに
よみがえらせる

①高精細デジタル撮影

オリジナルが失われてしまった文化財をクローンとしてよみがえらせるため、現在残されている資料を探し出すことから制作を開始した。多くの資料はモノクロであったが、調布市武者小路実篤記念館に所蔵されていた『セザンヌゴオホ画集』にカラー図版が残されていることがわかり、これを高精細デジタル撮影し、カラー画像データを取得した。

① 高精細デジタル撮影

②データ分析

撮影したカラー図版のデータにより貴重な色彩情報を取得することができた。しかしながら、印刷による網点や版ずれにより図像の輪郭がぼやけていて不鮮明な状態であり、撮影したデータそのままでは印刷に使用するには理想的な状態ではなく、鮮明な画像の再構築が必要であった。

② 版ずれにより不鮮明なカラー図版(拡大)

③筆致の再現

世界各地の美術館に収蔵されているほかの《ひまわり》の高精細画像データを収集、また同時期に描かれたゴッホの他の作品などのさまざまな資料を参照し、検証を重ね、ゴッホ特有の筆致や使用されていた絵具の分析を行った。その上で、撮影したカラー図版のデータを実寸大でキャンバスに印刷、それを下敷きにその上から専門技能を持つ研究員が油絵具を用いて模写を行い、鮮明な筆致の再現を行なった。

③-A 模写による鮮明な筆致の再現

③-B 再現された筆致(拡大)

④ デジタル画像処理

⑤ 筆致の合成

⑥ 手盛り上げによる凹凸の再現

⑦ 展示風景

④画像処理による再現

可能な限りオリジナルに忠実な再現を目指し模写を行ったが、制作者のくせや個性により、微妙にずれや歪みがでてしまう。この模写の問題点の解決のため、完成した模写を再度高精細撮影しデジタルデータ化、画像処理ソフト上でオリジナルのカラー図版と重ね合わせ、歪みや位置のずれを修正し、鮮明な筆致だけでなく、正確な位置と形状を再現した画像データを作成した。

⑤他作品を参照した補正

さらに、ゴッホ作品を所蔵する美術館より取得したほかの《ひまわり》の高解像画像データから、画像処理ソフトによりゴッホの筆跡を抽出し合成した。その上で、図版やほかの《ひまわり》等のゴッホ作品を参照し、より正確な色に近づけるための色調補正を行い、画像データを完成させた。

⑥手盛り上げによる凹凸の再現

次に絵画表面の凹凸形状の再現を行った。オリジナル作品が現存している場合3Dスキャナで形状を計測することができるが、すでに失われてしまった作品では不可能である。そこで、鮮明な筆致が再現された画像データを、下地処理したキャンバスに印刷し、それを下敷きに筆致がつくり出す凹凸を白色の油絵具で一つひとつ丁寧に手作業で盛り上げを行い、絵画表面の凹凸形状を再現した。

⑦完成

凹凸形状が再現されたキャンバスの上に再度大型インクジェットプリンタで画像を印刷した。仕上げに油絵具による手彩色、表面の光沢感を再現し作品を完成させた。完成した《ひまわり》は2021年7月、「謎解き「ゴッホと文化財」展―つくる文化∞つなぐ文化」(そごう美術館)にて一般に公開された。

(小俣英彦)

参考文献
圀府寺司,『もっと知りたいゴッホ 生涯と作品』, 東京美術, 2007年
「謎解き「ゴッホと文化財」展―つくる文化∞つなぐ文化」(そごう美術館)解説パネル, 2021年

クローン文化財の芸術普及への活用

小俣英彦

クローン文化財は画像や3D計測データだけでなく、詳細な制作方法も同時に記録することで、自然災害などにより万が一作品が破損した際にも、再制作することができる。作品保護のため、さまざまな条件のもと厳重な管理が必要なオリジナルの文化財では不可能な鑑賞体験も、クローン文化財では可能となる。この特長を活かして、これまでに制作されたクローン文化財は、美術館での展示に留まらず、さまざまな場所で展示公開されてきた。また、同時にクローン文化財を活用したワークショップや科学技術を紹介するイベントへの出展を通して、芸術普及のための取り組みを行っている。

これらの取り組みでは、目の不自由な人が作品に直接手で触れて触覚を通して鑑賞する体験や、作品を通して色彩や視覚の秘密にせまるワークショップ、作品世界をVRで再現し参加者同士がインタラクティブなコミュニケーションを体験できるコンテンツなど、新たな付加価値を伴った鑑賞体験の提供を行ってきた。

2021年7月にそごう美術館で開催した「謎解き「ゴッホと文化財」展―つくる文化∞つなぐ文化」では、ゴッホを中心としたクローン文化財を「文化財を知る・楽しむ」をテーマに約30点展示、これまでにない多様な角度で作品を体験でき、若年層に向けた教育、芸術普及プログラムとして高い評価を得た。

今後、移動美術館などさまざまな場所での展示による芸術普及や文化振興、学校をはじめとする教育の現場での活用、より多くの人びとに文化財に親しんでもらう機会の提供など、新たな付加価値を伴った文化財の複製として、クローン文化財の活用が期待されている。

展示風景「謎解き「ゴッホと文化財」展―つくる文化 ∞ つなぐ文化」、2021年

山梨県立美術館
ミレー《種をまく人》

"The Sower," Jean-François Millet, Yamanashi Prefectural Museum of Art

フランスの画家ジャン＝フランソワ・ミレー（1814-1875）は、バルビゾン派を代表する画家の一人であり、特に農民の日常の姿を写実的に描いた作品でよく知られている。山梨県甲府市にある山梨県立美術館は、《種をまく人》や《落ち穂拾い、夏》などをはじめとした国内随一のミレーのコレクションを誇り、1978年の開館以来「ミレーの美術館」として、国内外を問わず多くの人々に長年にわたり親しまれている。

　このたび、山梨県立美術館の協力のもと、ミレーの代表作のひとつである《種をまく人》をクローン文化財により再現するプロジェクトが行われた。このプロジェクトでは、これまで培われてきたクローン文化財技術に加え、残されていたクローン文化財がもつ課題の克服と、質のさらなる向上を目指し、油彩画の複製における新技術の研究と開発を行った。

　ここでは日々進化を続けているクローン文化財の最新の取り組みを紹介する。

同じ空間にオリジナルと並ぶ

「コレクション企画展　クローン文化財　ミレーの《種をまく人》」（山梨県立美術館）で
公開されたオリジナル作品（左）とクローン文化財（右）

常に進化してきたクローン文化財は、デジタル技術とアナログ技術を融合させることで、これまで独自の手法による新たな複製技術を編み出してきた。一方、研究開始当初は機器の精度、出力可能サイズの制約などにより導入が難しかったデジタル造形技術や機器が、デジタル技術分野の発展により、クローン文化財が求める品質に追いついてきた。

　油彩画をクローン文化財として複製するには、色彩の再現だけでなく、絵画表面の凹凸形状の再現が必須である。作者の筆使い、筆致により生み出される凹凸は絵画作品の重要な要素のひとつであり、凹凸を伴わない複製では、作品の持つ本来の質感や魅力を伝えることはできない。

　壁画などの大型の文化財の複製では、3Dスキャンしたデータを3D切削機により削り出し凹凸形状を再現する試みを先行して行ってきたが、より微細な形状と質感が必要となる油彩画表面の再現では、これまで機器の精度不足もあり、高度な専門技能を有する研究員の手作業で行い、その上に画像データをプ

リントする手法を採用していた。このことは、多くの芸術家が所属するクローン制作チームの特長であり、利点である一方、個人の能力に作品の質が左右され、一定の技量を有する個人の存在がプロセス上不可欠であるという課題を抱えていた。将来的な技術移転、文化継承と共有のための人材育成の実現を見据えた際、できる限り汎用性の高い技術や機器を用いることが望ましい。そこで、山梨県立美術館所蔵のミレー《種をまく人》を題材に3Dデジタル技術を使った油彩画の再現のための研究開発を行った。

　昨今、各地の美術館、博物館などで文化財をデジタルデータとして記録、保存する重要性が認識され、劣化しないデジタルデータでの保存と、それらを活用した公開の動きが広がっている。山梨県立美術館でも、同館所蔵のミレー作品の超高精細画像撮影が行われ、そのデータの活用事例のひとつとして、同美術館協力のもとクローン文化財による再現を実施した。

　通常の再現では、クローン文化財制作のために最

適化した条件での高精細分割撮影を行うが、今回のように提供された画像データを使用する場合、忠実な色再現のためには通常とは異なるプロセスが必要になる。その課題の解決のため、最終的な画像印刷に使用する大型インクジェットプリンタを現地に持ち込み、テストプリントとオリジナル作品との比較検討を複数回行い、オリジナル作品がもつ豊かな色彩を忠実に再現した。

また、絵画表面の凹凸形状の再現工程では、最新の高精細3Dスキャナにより形状の計測を実施。3Dスキャンは細かくデータ化するためには一度の計測範囲は小さくなり、絵画全体の計測には数百回に分けて計測したデータをつなぎ合わせる必要がある。その際、絵画などの平坦な形状の3Dスキャンでは微細な凹凸のため自動処理でつなぐことは困難を極める。そこで、予め位置合わせの基準となる参照点を空中に配置するためのガイドフレームを独自に開発する画期的な対策により、高精度なデータの取得に成功した。その上で、取得した3Dデータをもとに、

3Dプリンタ、3D切削機により、細かな条件を変えて試作と検証を繰り返し、凹凸形状の忠実な再現を行った。

新たに技術を開発したことで、作業時間の大幅な削減と効率化が図られ、試作や検証、質感の向上のための時間を生み出すこととなり、これまで以上に高い品質のクローン文化財が完成した。

山梨県立美術館に寄託されたクローン文化財は2022年3月、同館のコレクション企画展でオリジナル作品と同空間に並べて一般公開され、国内の公立美術館では初の事例として注目を集めた。今後、移動美術館などさまざまな場所での展示による芸術普及や文化振興、学校をはじめとする教育の現場での活用など、文化財の保存と公開の新たな手段のひとつとして活用が期待されている。

(小俣英彦)

色彩と形状、そして額縁の複製

①ガイドフレームを使った3Dスキャン

新規開発したガイドフレームを使い高精細3Dスキャナで計測し、筆致などの凹凸形状を3Dデジタルデータ化した。そのデータをもとに樹脂板を3D切削機により削り出し、型となる絵画表面の凹凸をつくる。それをシリコーンで型取り、雌型を作成した。

① ガイドフレームを使った3Dスキャン

②型に油絵具を塗布

シリコーンによる雌型にオリジナルの絵具層と同素材の白色の油絵具を塗布して、画面の筆致やキャンバスの折り目などの凹凸形状を再現した。支持体となるキャンバスに貼り付ける際の強度を補うため、薄手の麻布を貼り付けた。

② 型に油絵具を塗布

③絵具層の貼り付け

支持体のキャンバスに空気が入らないように慎重に密着させながら、凹凸を再現した絵具層を貼り付けた。その上に、複数回の現地調査をもとに色調補正を繰り返し、オリジナル作品の色調を忠実に再現したデジタル画像データを大型インクジェットプリンタで印刷した。

③ 再現した凹凸形状をキャンバスと貼り合わせる

④光沢感を再現

画像が印刷されたキャンバスを木枠に張り込み、オリジナル作品の画面周縁にも用いられている側面保護用の水張りテープを貼り付けた。印刷では再現が難しいオリジナル作品の絵画表面の質感に近づけるために、ワニスを塗布し光沢感を再現した。

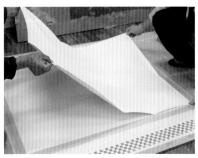

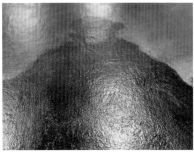
④ 光沢感を再現

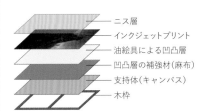

- ニス層
- インクジェットプリント
- 油絵具による凹凸層
- 凹凸層の補強材（麻布）
- 支持体（キャンバス）
- 木枠

⑤ 額縁の3Dスキャン

⑥ 3Dプリントしたパーツを連結

⑦ 額縁の制作工程サンプル

⑧ 手作業による彩色仕上げ

⑤額縁の3Dスキャン

これまで制作してきた油彩画のクローン文化財ではオリジナルに取り付けられている額縁も再現する試みを行っている。これまでの再現では画像データをもとに、手彫りや樹脂型などを用いて制作していた。今回、ミレー《種をまく人》の額縁は3Dスキャンしたデータを使い、それまでと異なり3Dプリンタで出力したパーツを使い額縁を作成した。作品本体と同様に経年変化によるわずかな歪みに至るまで、表面の形状を忠実に再現した額縁を制作した。

額縁の形状を高精細3Dスキャナで計測し3Dデジタルデータを作成。そのデータをもとに3Dプリントにより形状を再現した。高精細出力では3Dプリンタの出力サイズに制約があるため、分割して出力を行った。

⑥3Dプリントしたパーツを連結

分割して出力したパーツをつなぎ合わせ、細部のずれや3Dプリント時の積層痕などを手作業により修正した。耐久性を上げるためパーツ裏面に補強を施し強度を確保し、木製の額縁土台と接合した。

⑦下地層をつくる

金箔で装飾する前に白色の下地塗料を吹きつけ、さらに金箔を接着するための赤色塗料を表面に吹きつけ下地層を作成した。赤色塗料が乾燥する間際の微妙なタイミングを見計らい隙間なく金箔を貼りつけ、柔らかい筆で余分な金箔を払い落とした。

⑧古色仕上げ

オリジナルの額縁には経年による劣化や表面を古びさせたような加工が施されている。オリジナルの古びた雰囲気を再現するために古色仕上げを施し額縁を完成させた。また作品保護のためオリジナル作品にはガラスがはめられているが、再現したクローン文化財ではガラスを取り外すことで、作品本来の豊かな色彩を直に鑑賞できるようにした。

（小俣英彦）

クローン文化財における3Dスキャンと3D造形

布山浩司

デジタルで複製が簡単にできるならば多くの美術作家はデジタルで制作するのではないだろうか。たとえば油絵の作品を同じ凹凸、同じ質感と混色彩色などすべてをそのまま複製できればデジタルで描いた方が劣化もせず、大きさも自由に決められ表現の幅が広がる。しかし、今はまだ油絵を油彩で全く同じように複製する技術はない。特に文化財などの歴史的に貴重な作品の長い時間によって生み出された存在感は簡単に複製することはできない。3Dプリントや切削加工によってごくわずかな誤差まで近づけられた形においても質感や存在感を写し取ることは非常に難しく、デジタルを活用した方法は限定的な技術しかないため物足りなさを感じてしまう。クローン文化財の特徴はそこを芸術家の専門チームによって補い、表層を限りなく実体に肉薄させることである。

ここでは3Dスキャンと3Dプリントを用いてどこまで本物に迫ったクローン文化財をつくることができるかその現状について取り上げてみたい。

3Dスキャン

文化財は触れることができないため、離れた場所から3Dスキャンをする。最新のカメラ型の高精細3Dスキャナは10円玉の平等院鳳凰堂の屋根の線がデータ化できるほどの精度であり、表面の凹凸を

とても細かくデータにすることができる。デジタルカメラと同じ画像処理技術をベースに精度が決まるため、今後の技術進歩によってさらに細かく3Dスキャンができるようになるだろう。

3Dスキャンは対象物に縞模様を投影しその情報を読み取り、立体化したデータをつくり出す。アイ・ハヌムのゼウス神像左足断片、法隆寺金堂の釈迦三尊像、ミレーの種をまく人などはこの方式でスキャンを行った。スキャンはシステムに応じて適切な距離があるが、より離れた距離からになれば精度は落ちていく。手持ちのハンディタイプのスキャナについては手振れがあるためさらに精度が落ち、手のしわなど細かい形状を取ることは難しい。また目視できない部分についてはスキャナのカメラに写らないため3Dデータにすることはできない。そのほかにも、光沢のある物や透明な物は縞模様を投映することが難しく3Dスキャンできなかったり、コントラストの強い色彩のある物については、間違った凹凸をつくり出してしまうこともある。正確なデータを得るためにはすべての条件がよくなければならない。

さらに、繊細なスキャンを行うためには専門のスタッフが考慮しながら行うことも必要だ。ひとつの作品をデータにするためには膨大な数の3Dスキャンをし各データをつなぎ合わせる。回数が多く重複した場所をスキャンすればデータの密度は増えていくが、データに欠損部

3Dスキャン作業の様子

分が無いようにできるかといえばそうではない。奥まったところにある凹凸がある部分などの隙間、起伏の激しい部分についてはどのような角度にスキャナを動かすかという判断が必要になる。得られたデータについてはノイズなのか形状なのかを判断し、正確に得られたデータのみを残していく。1回ごとのデータをつなぎ合わせる作業についても目視での判断が必要になる。これだけの作業を行うことは大変そうに感じるかもしれないが、東京藝術大学の専門チームは彫刻出身の技術者であり対象をよく見て認識するスキルには長けていて、そのような判断を瞬時に行うことができるため、効率よく難なくこなすことができるといえる。

3Dスキャンに関しては、スマートフォンのアプリでもスキャンが可能なくらい生活に近い存在になった。今後さらに、動いているものに対してもその技術が応用されるなど、デジタル技術が生活に結びついた世界になるだろう。そのようななか、デジタル複製がオリジナルになり得るくらい本質に迫った物をつくり出すことを期待したい。

3Dプリント

個人でも3Dデータがあれば手のひらほどのサイズの物を簡単に3Dプリントすることができる。卓上に載る大きさの3Dプリンタで0.3mmほどの凹凸も表現できる精度のため絵画のキャンバス生地のディティールも十分に再現でき、手でつくることができないくらい細かく綺麗な物が出力できる。3Dデータは3Dスキャンまたはデジタルモデリングによって作成する必要があり、今はまだ専門の知識がなければ自由に好きな物をつくることは難しい。

また、3Dプリンタは造形の可能性から製造業を変えるとまでいわれたことがあったが、素材の耐久性や強度、造形不良などの課題が多く、試作や型などの補助的な利用がほとんどである。プリントできる素材は主に樹脂と金属、色を同時にプリントできるものもあるが再現性はまだ低く、もちろん美術作品をつくる目的では開発されていない。大型の作品においては切削加工がトラック1台をまるごと製作できる

3Dプリントによる絵画表面の凹凸再現の試作

工場があるのに対して、3Dプリントについては建築で使われる海外の事例はあるものの、国内では大物プリントはごく少ない事例に限られる。そして、細かく3DプリントするにはA4サイズほどのサイズが一般的である。

クローン文化財の釈迦三尊像の大光背は大きく精度よく造形するためにそのA4サイズに分割して3Dプリント後に手作業で接着を行う方法をとったが、樹脂は歪むためその作業は大掛かりなものだった。

3Dデータがあれば簡単に3Dプリントまでは行うことができるが、美術作品を複製するには造形サイズが小さすぎ、クローン文化財の多くは切削加工で制作することになった。今後はさらに素材の改良が進み、等身大の人などの大物が精度よくプリントできるようになれば美術作品の複製は3Dプリントを選択することだろう。

3Dデジタル技術を活用することで多くの時間を短縮する。その後手作業でつくり上げたクローン文化財はオリジナルとは完全に一致はしないものの、本質的な部分ではその実体を表現できているのではないかと感じた。美術作家の作品についても、デジタルで表現することで、その表現の幅は確実に広がり、そのまま3Dプリントしたものが作品にならなくとも、道具として表現方法のひとつとして活用の可能性を見いだせたらよいのではないだろうか。

ジャン=フランソワ・ミレー《種をまく人》
（画像提供：山梨県立美術館）

ジャン゠フランソワ・ミレー《種をまく人》
クローン文化財

クローン文化財がもたらす未来

小泉英明

I. クローン文化財
── クローンの概念

クローンとは同一の遺伝子情報をもつ個体の集団を意味する。語源は古代ギリシャ語の $\kappa \lambda \acute{\omega} \nu$: klōn (小枝の集団) とされるが、栄養生殖による挿木や挿芽の意味がのちに付与された。分子生物学や遺伝子工学の進歩によって、ES細胞 (胚性幹細胞) やiPS細胞 (人工多能性幹細胞) によってクローン動物やクローン臓器が作成できるようになってきた。東京藝術大学の「クローン文化財」の概念は、もっと包括的な内容を含んでいると理解している。

── スーパークローン文化財もしくはハイパー文化財へ

クローン文化財の概念をさらに発展させたものが、ラテン語系のスーパー (Super) あるいはギリシャ語系のハイパー (Hyper) を接頭語として前置させたものである。いずれも、超越 (above, over, beyond) を意味し、そこには時間と環境の概念が入り、さらにクローンを超えた未来へと広がっている。そこには「贋作」の概念が入る余地はない。

II. 世界を構成する時空の4軸

私たちは、時間と3次元空間の4つの軸から構成される世界に住んでいる。感覚器官 (視覚・聴覚・触覚・嗅覚・味覚) から情報を脳に取り込み、脳内に外部世界の写像をつくる。同時に、過去の記憶や未来への想像によって脳内に内部世界の写像をつくる。外部世界の写像と、内部世界の写像とのあいだのずれを、脳自体が調整しながらより現実的な時空に、私たちは「今」を生きている。文化・芸術には外部世界と内部世界を自ら再構築する自由がある。スーパークローン文化財は、時空の4軸を行き来する芸術あるいは科学でもある。

　音楽の基本は時間軸にあり、音の振動波形 (音色) を時間軸から周波数軸に展開するのはフーリエ変換である。すなわち、さまざまな周波数の正弦波の重ね合わせで音色が生まれている。一方、美術の基本は空間軸であり、複雑な形を空間軸から周波数軸に展開するのも数学的には同じフーリエ変換である。最近は、画像診断装置として一般化したMRI (磁気共鳴描画法) も、体内の水素原子核の振動を時間軸や空間軸に展開して、人体内部の画像をつくっている。

　人間も感覚器官からの信号のフーリエ変換処理を神経系で行っている。身近な例で言えば、ピアノで和音を叩いたときに、目を瞑っていても、あるいは隣の部屋でその音だけを耳にしても、複数の鍵盤のどれとどれが叩かれたかという空間位置までわかる。翻って、世界をつくるのは素粒子群であり、それらは粒子であるとともに波でもある。音楽と美術も、その手段は数学的に等価であり、東京藝術大学に音楽学部と美術学部が、美を核にして併存していることは理に適っている。

III. ニュートンの後継者たちとゲーテの論争
── 脳内の外的世界と内的世界

アイザック・ニュートン (Isaac Newton, 1643-1727) は外部世界を客観的に受け入れる術の基礎を固め、ヨハン・ヴォルフガング・フォン・ゲーテ (Johann Wolfgang von Goethe, 1749-1832) は内部世界から入って外部世界を含めて客観的に受け入れることに傾注した。ゲーテは「形態学」(Morphology) の創始者であるとともに、『ファウスト』の著者でもある。また、『色彩論』を著して、色の本質から外部

世界と内部世界が接続していることを示した（さらにゲーテは音響学創始を視野に入れていたのではないかと思う）。このゲーテの思想から、スーパークローン文化財の機能と価値が見えてくる。

　東京藝術大学の宮廻正明名誉教授（日本画）は、毎朝、古来の絵具を眺めて自己の色彩感覚を確認する地道な努力を続けておられるが、参照物質による外部世界と自己の内部世界のチューニングであろう。澤和樹前学長（ヴァイオリン）も多忙な学長職にあって、会議の冒頭に心の籠った短い演奏を続けておられたが、やはり本来の内部世界のチューニングではないかと拝察している。

Ⅳ. 心を大切にしたDXの時代へ

DX（Digital Transformation）が叫ばれて久しいが、スーパークローン文化財はDXと人間の感性との協創による結果である。一般にデジタルとアナログを対置させることが多いが、自然界の見方の相違と言う方が的確であろう。例えば、人間はアナログ的だと言われるが、人間の情報処理の源は神経接続部の閾値処理にあって、デジタルそのものである。微視的に見ると自然界はすべて素粒子群から構成され、この粒子は同時に波でもある。「建築は凍れる音楽」（ゲーテ『箴言と省察』他）と言われるように、音楽と美術の根幹はつながっている。

　芸術とDXは異質のものであるという考え方も多い。しかし、紀元前の水圧オルガンを源流とするパイプオルガンを考えれば、芸術とデジタルは古くから共存していたことがわかる。オルガンの鍵盤は現在に至るまで、オン／オフのスイッチである。圧縮空気をどのパイプに送るかの弁の開／閉をつかさどる。芸術楽器としての電子機器のパイオニアであった梯郁太郎氏（ローランド創業者）の電子オルガンにかける信念もそこにあった。冨田勲氏（電子音楽）も、スピーカーにつながるたった一対の電線を通して人々に感動が伝わることに、多大なる不思議を感じておられた。楽器や画材はあくまでも手段であって、最終的に大切なのは人間の心（感性・理性）である。スーパークローン文化財を発展させるための原点である。

Ⅴ. スーパークローン文化財と将来展望

外部世界の時間と空間を超えて、自己の内部世界を豊かにすることがスーパークローン文化財の本質と考える。東京藝術大学で試作された聖徳宗法隆寺の釈迦三尊像スーパークローンは、現代科学の知見を駆使して、現在目にすることのできる釈迦三尊像のみならず、時間を超えて飛鳥時代にさかのぼった姿をも提示した。法隆寺の外に持ち出すことがきわめて困難な釈迦三尊像の伝えるものを、空間を超えて世界と共有できることになったのである。科学技術という文明の利点を生かし、今後はさらに視点を変えてより精密な作品としてのスーパークローンは、次の世代を育む教育や、イデオロギーや民族を超えた文化交流に大きく資することが期待される。

［こいずみ・ひであき］
原子物理学を応用した偏光ゼーマン法を発見し実用化。世界で1万台を超える装置が環境分野で活躍（開発初期の装置は分析機器・科学機器遺産に認定）。また、磁気共鳴血管描画法の原理を発見し実用化。それを進展させたfMRI（機能的磁気共鳴画法）や、新たな光トポグラフィ法によって人間の「脳と心」を計測。自然科学と人文・社会科学、さらに芸術を架橋・融合する方向を示したことで知られる。

クローン文化財の可能性

宮廻正明

● 流出文化財の平和的解決法

世界中の博物館には多くの流出文化財が展示されている。ある文化遺産に関する国際会議において流出文化財の話題が出たが、決議にまでにはいたらず、過去においても審議が続いてきた上での現状である。しかしながら今後この問題は避けては通れない大きな国際問題となってくるのは明白である。我々はこの問題を解決する方法を真剣に考えなければならない時期にきている。2016年に行われたG7伊勢志摩サミットのサイドイベント「テロと文化財——テロリストによる文化財破壊・不正取引へのカウンターメッセージ」や、アブダビで行われた国際シンポジウム「戦争後の文化財の復旧」、2017年のルーヴル美術館での国際シンポジウム「戦争後の文化財」等、多くの国際会議の席で流出文化財について言及され、オランド前フランス大統領やマルチネス前ルーヴル美術館館長などからは「クローン文化財を使って文化財を共有することができるのではないか」との意見が挙がった。クローン文化財は具体的な解決になる。ただし問題は、オリジナルの作品をどちらが持つのか。現在所蔵している美術館・博物館が持ち続けるのか、もともとあった国にはクローン文化財を返すのか。しかし当然ながら、双方オリジナルの方を持ちたいという意向が出る。

　では、オリジナルより付加価値のついたものがあったらどうだろう。そこでクローン文化財より一歩進んだスーパークローン文化財の開発を進めてきた。この研究ではいかにオリジナルを超えるかを目標にしてきた。そのためにはできる限り欠落や変色した部分を元の姿に復元できないのかという点に着目する。今まで行われてきたアナログ的方法から、最新のデジタル技術を積極的に取り入れ、科学的分析や美術史的見地を参考に、制作当時の姿に近づけることができるようにシミュレーションを繰り返し行っていく。その結果、自然災害や戦争によって破壊された文化財の再現にもその技術が活用できるなど、後世に文化を継承する道が拓かれてきた。

アフガニスタン流出文化財「バーミヤンK洞ヴォールト部分 壁画 仏坐像」クローン文化財(左)とスーパークローン文化財(右)

● クローン文化財の人材育成

クローン文化財の最終目的は人材の育成にある。それは「尊敬される日本人」を目指すことでもある。文化財という世界共有の財産を守るために、「習う」「学ぶ」行為を通じて我々が取得した特許技術の公開をしていく必要がある。ところがアナログによる技術の習得には長い時間を要するため、早急の普及は困難である。そこでいかにしてアナログの部分をデジタルに少しでも置き換えることができるかという研究をすすめている。

　文化財はできるだけ所有する地域の人びとの手によって守られなければならない。それには自らの文化を守るための技術を共有する人材育成が不可欠である。そして心の通った人材交流は真の文化外交を実現し、文化共有の可能性を無限に広げていく。クローン文化財を活用することにより、芸術の輪を大きな感動の輪へと広げていくことで、このプロジェクトが豊かな世界をつくり上げる基盤になると確信してやまない。

● 謝辞

この度のクローン文化財開発に際し、当時の青柳正規前文化庁長官と故大野玄妙前法隆寺館長のクローン文化財作成への多大なるご理解を得、法隆寺金堂内国宝釈迦三尊像の制作をすることができ、大きな原動力になりました。また、文科省と科学技術振興機構（JST）が推進する「センター・オブ・イノベーション（COI）プログラム拠点」採択により助成を受け、未来に継承していくための文化財の技術開発ができるようになりました。ご協力をいただきました企業や多くの皆様方には謹んで感謝申し上げます。

東京藝術大学COI拠点「Arts & Science LAB.」外観

シルクロード特別展に寄せて
──法隆寺金堂釈迦三尊像と壁画諸尊雑感

故 大野玄妙（法隆寺管主〈執筆当時〉）

法隆寺では2021年に聖徳太子1400年のご命日を迎えます。寺では、「聖徳太子1400年御聖諱法要」を準備しています。百年前の大正10(1921)年4月の「聖徳太子1300年御忌法要」執行の節は、東京藝術大学の諸先生方に多大な御支援を賜りました。

『日本書紀』は、推古29(621)年2月5日を太子の命日と記していますが、『金堂釈迦三尊像光背銘』等他の資料では、推古30(622)年2月22日と伝えています。また太子関係の諸寺院は、推古30年2月22日を命日として法要を営んでいます。

銘文は、推古29年12月に太子の母間人皇后が崩じ、膳妃も病床に着いたと記しています。周辺の人々は平癒を祈って、太子と同じ身丈の釈迦像を造ることを発願しました。しかしその年の2月21日に膳妃が亡くなり、翌日に太子も薨じられ、推古31(623)年3月に完成したと記し、最後に司馬鞍首止利が造ったと刻んでいます。

法興元世一年歳次辛巳十二月鬼
前太后崩明年正月廿二日上宮法
皇枕病弗悆干食王后仍以勞疾並
著於床時王后王子等及與諸臣深
懐愁毒共相發願仰依三寶當造釋
像尺寸王身蒙此願力轉病延壽安
住世間若是定業以背世者往登浄
土早昇妙果二月廿一日癸酉王后
即世翌日法皇登遐癸未年三月中
如願敬造釋迦尊像幷俠侍及荘嚴
具竟乗斯微福信道知識現在安隠
出生入死随奉三主紹隆三寶遂共
彼埠普遍六道法界含識得脱苦縁
同趣菩提使司馬鞍首止利佛師造

釈迦三尊像光背銘（再現）

この銘文は、後世に刻まれたと疑う人もありましたが、東野治之氏によって像と銘文が一体のものと証明され、最も確実な史料と見られています。『日本書紀』の年代は何等かの誤りが生じたもので、太子は推古30年2月22日に薨去され、2021年が太子1400年御忌の年となり、既に4年を切っています。

金堂壁画が1949年1月26日に焼損したことは周知の通りでありますが、実状を知る人は多くありません。しかし、この事故によって古文化保護の機運が醸成し、文化財保護法・文化財防火デーへと繋がりました。また金堂落成時は、修理に伴った壁画の模写も中断し白壁のままでしたが、1967年には金堂壁画再現事業が起こされました。

この事業は、収蔵庫で保存している焼損壁画や中断した模写等を資料として進められ、1968年に完成し、1971年には小壁画も完成を見、金堂の壁画は復興致しました。これらの模写事業は東京藝術大学の諸先生方の努力により成し遂げられましたが、収蔵庫内には未整理の資料が沢山残されているのが現状です。

法隆寺では、収蔵庫の老朽化に伴い、これらの資料を調査整理し、より良好な状態で将来に引き継ぎ、また文化財保護の啓蒙のための活用を模索する行動を進めています。7世紀末から8世紀初頃と見られる壁画は、不確実な要素も多く、2015年に発足した「法隆寺金堂壁画保存活用委員会」の今後の調査研究が期待されます。

今回の企画では、新しい技術・研究によりよみがえった十二面の再現壁画と共に、3D等の最新鋭の方法を駆使して復元された今年完成の釈迦三尊像・天蓋等を拝することが出来ます。釈迦三尊像や壁画は、遠くシルクロードを経て我が国に至る人の交流や文化の流れを伝える貴重な宝であります。

1400年御忌を前にして、東京藝術大学諸先生方の御尽力に深く感謝申し上げ、後世に永く伝える決意を新にするものです。

※2017年に東京藝術大学大学美術館で開催したシルクロード特別企画展「素心伝心―クローン文化財 失われた刻の再生」図録の文章を再掲載した。

金堂壁画第6号壁（再現、部分）

展示から修辞への進化を遂げたクローン文化財
——公益性と経済性の両立を目指して

三橋一弘

2017年から2021年にかけ、クローン文化財を用いてシルクロードをテーマにした有料企画展を全国で開催し、延べ約20万人の方にご来場いただいた。これらの展覧会ではオリジナル文化財を展示せず、クローン文化財のみを展示し、作品自体の鑑賞機会提供より、展示を通じて何を伝えるかのストーリーテリングに重きを置いた。具体的には紛争や火災などで失われた文化財の再現や、移動が困難な文化財のクローン文化財を展示し、オリジナル文化財だけでは実現不可能なシルクロード文化を伝えるテーマ展示を行った。

2021年には、夏休みの子どもたちをメインターゲットとした「謎解き「ゴッホと文化財」展」を開催した。この展覧会では「謎解き」という切り口でわかりやすく楽しい展示やワークショップを行った。体感型の鑑賞スタイルや、撮影可によるSNSでの拡散により、結果として大人の方も多く来場した。この展覧会を通じて、オリジナル作品の展示有無より、わかりやすく楽しいストーリーテリングが子どものみならず大人にとっても重要であることが認識できた。

最近のアート売買市場では、元来Fungibleなデジタル作品にブロックチェーン技術を用いてNFT（Non-Fungible Token）化し、供給抑制による価格維持を通じた金融資本の拡充が進んでいる。クローン文化財は、元来Non-Fungibleなリアル作品をFungible化する技術であり、可搬性を含めた供給拡大によるシェアリングエコノミーを通じた社会資本の拡充を進めることができる。2017年にオランダのボイマンス・ヴァン・ヘーニンゲン美術館と連携して制作した、ブリューゲルの《バベ

ルの塔》のクローン文化財は、同美術館改装期間中に学校へ持ち出され、教育現場で活用された。2022年には山梨県立美術館と連携してミレーの《種をまく人》のクローン文化財を制作したが、今後同様に展覧会のみならず教育現場などでも活用が期待される。

一般財団法人全国美術館会議は、美術館の原則1項で「美術館は、美術を中心にした文化の価値を継承・発展、さらに創造することに努め、公益性・公共性を重視して人間と社会に貢献する」と定めている。公益性が求められる美術館は、すべての都道府県に設置されており、文化を継承するハードインフラは日本国内にすでに整備されている。（図1）

図1：美術館数と設置密度

私立	全国	公立
213	453館	240

※文部科学省社会調査2018、総務省都道府県別人口令和2年度をもとに集計

	都道府県	美術館数
1	東京	38
2	長野	36
3	愛知	20
4	北海道	18
5	神奈川	17
	全国合計 453	

	都道府県	設置密度
1	長野	5.7万人に1館
2	島根	6.1万人に1館
3	山梨	6.7万人に1館
4	石川	7.6万人に1館
5	富山	8.6万人に1館
	全国合計 27.8万人に1館	

では、公益性が求められる美術館の経済性はどのようになっているか。ここで美術館の収入構造を見てみる。

公立美術館の事例としてN博物館グループ、私立美術館の事例としてO美術館とU美術館の令和1年度収入を見てみる。N博物館グループは全体収入の72%が交付金や補助金といった公金による外部収入に依存している。O美術館は企業等からの寄付金や協賛金といった外部収入が52%で、同館の事業報告書によるとそのうち80%以上となる約15億円が単一親会社からの収入と思われる。また、U美術館は自己資産運用益といった外部収入が37%を占めている。いずれの美術館も経常利益は多くなく、外部収入なくしては美術館の運営が困難な状況であるといえる。（図2）
　今後公立美術館において、自治体の財政状況によっては同程度の公金投入による美術館体制維持に対する市民の理解を得るのが困難になっていくかもしれない。私立美術館においては、資金

供出元企業が株主から投資効果を追及されるかもしれないし、自己資産運用益が株式不動産市場の動向に左右されるかもしれない。昨今のCSR活動やESG投資の高まりに合わせた企業からの寄付や資産譲渡、親会社広告宣伝費としての損金計上などの国策的な税制優遇により外部収入を維持できる可能性はあるかもしれないが、基本的には美術館が自主的に実行可能な自己収入拡大による収支構造改善が必要と考える。

図3は前述3者の自己収入の事業収支である。N博物館グループ、O美術館において一定の収入構成比を持つ受託収入、出版事業ともに事業利益は少なく、全体収支構造改善への寄与は現状期待できない。出版事業は一般的に固定費率が高く販売強化による限界利益拡大の可能性もあるが、ここでは図録など専門性が高い書籍を来館者へ販売するモデルと想定し規模の経済は働きにくいと考える。よってここでは収支改善をもたらす自己収入源として展示事業のみを検証する。

図2：美術館の収入構造

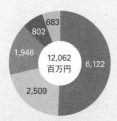

N博物館グループ

12,062 百万円

683
802
1,946
2,509
6,122

■運営費交付金　■補助金収入
■展示事業収入　■受託収入
■その他の寄附金等
※令和1年度決算報告書から作成

O美術館

348 百万円

21
38
108
105
76

■受取寄附金　■受取協賛金
■受取観覧料　■出版事業収益
■その他収益
※令和1年度決算報告書から作成

U美術館

720 百万円

53
182
85
400

■財産運用益　■不動産事業収益
■展示事業収益　■その他収益
※令和1年度正味財産増減決算書から作成

図3：自己収入事業収支

N博物館グループ		O美術館		U美術館	
展示事業等収入	1,946	受取観覧料	105	展示活動事業収入	400
展覧事業費	2,610	展示費	73	展示活動事業費	188
展示事業収支	−664	展示事業収益	+32 [*1]	展示事業収益	+213
受託収入	802	出版事業収益	38		
受託事業費	796	印刷製本	39		
受託事業収入	+6	出版事業収支	−1	（単位：百万）	

*1 O美術館は別途54百万の広報費を計上

図4：N博物館グループの来館者ARPU

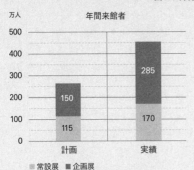

年間来館者

※令和1年度自己点検評価報告書及び決算報告書から作成

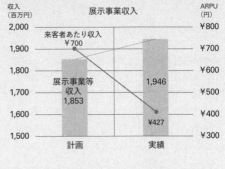

展示事業収入

※令和1年度自己点検評価報告書及び決算報告書から作成

　展示事業の事業収支は、N博物館グループはマイナス、O美術館も広報費を展示事業経費と仮定するとマイナス、U美術館はプラスとなる。ここで展示事業の収支構造を見てみる。

　図4は、N博物館グループの令和1年度の年間来館者数と、展示事業等収入ならびに来館者あたり収入（ARPU）である。自己点検評価報告書のデータをもとに計画来館者をすべて一般有料入場者と仮定して算出した常設展及び企画展のARPUは各々664円と1445円となり、基本的に企画展の来館者比率が上がればARPUは上昇する構造である。しかし、令和1年度は常設展、企画展ともに来館者数実績が計画を上回り、企画展来館者比率も上昇しているにも関わらずARPUが下落している。その理由としては、計画に比べて入場料以外の附帯収入が下落したか、無料入場者比率の上昇など入場者構成が計画と異なったかの2通りが想定される。

　では2つの私立美術館ではどうだろうか（図5）。有料入場者比率の差に連動してARPUが大きく異なり、両美術館の事業収支に大きな影響を与えているといえる。

　館外から作品を借用して行う企画展は、作品借料に加え、保険料、輸送費、展示設営費、会場運営費等で入場者数の変動に関係なく固定的に発生するものが多く、入場料収入における限界利益は

図5：O美術館とU美術館のARPU

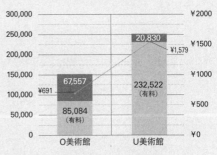

大きい。有料入場者数を伸ばせば固定費回収が進み展示事業収支の改善が見込めるが、無料入場者比率が上昇すればARPU下落に伴い限界利益も減少し、展示事業の収支改善は遠のく。広告宣伝の強化で有料入場者数を伸ばしても総費用が増加し、同様に展示事業の収支改善は遠のく。

　よって、美術館の展示事業による自己収入拡大によって財務基盤の安定化を目指すには、自館所蔵作品をフルに活用した展示で、入場者数ではなく展示事業利益を目標にする必要があると考える。

　美術館が果たす役割を、教育研究と平等な鑑賞機会提供による文化継承とすると、公益性の観点から美術館の財政状況を資本の論理に基づく営利主義的な視点で評価するべきではないかもしれない。その公益性からは、無料でもあまね

く公平に芸術に触れる機会を設けるべきといえるが、そもそも現在の展示コンテンツは果たして世の中のニーズに合っているのだろうか。（図6）

令和1年度の文化に関する世論調査によると1年間で美術を鑑賞した比率は24％で、35％は関心がないことを理由に文化芸術に触れていない。街中で美術館の広告を見る機会があるが、AIDMAの法則の観点からは、広告宣伝を投下してAttentionを高めても現在の展示コンテンツがInterestまで辿り着けていないといえるのではないか。

では、文化継承のハードインフラである美術館が既に整備されている現状下、美術鑑賞率を高めるにはどのようにすればよいか。

人は1日24時間という時間制約と、可処分所得という予算制約の中で生活していることから、コンテンツの競争力比較の観点から考えてみる。

NHK放送文化研究所の国民生活時間調査では、1日24時間を睡眠や食事といった必需行動、仕事や勉強、家事や子供の世話といった拘束行動、趣味娯楽やレジャー、ネットやTVなどのメディア視聴といった自由行動に3分類しており、美術鑑賞は自由行動に分類される。

美術鑑賞率を高めるには、5〜6時間／日の限られた時間を割いてもらうため、展示事業を、外出を伴うテーマパーク・スポーツ観戦・映画鑑賞・音楽コンサート鑑賞などに加え、在宅時のインターネット利用やテレビ・音楽・読書などと比べて魅力的なコンテンツにする必要がある。（図7）

予算制約における展示事業の価格競争力についても考えてみる。

図8において、美術鑑賞に対する支出は、娯楽および教育の一部に属するが、教育支出の主な対象は学習塾となるため、ここでは娯楽支出のみについて考える。美術鑑賞の競合コンテンツの価格にはバラツキがあるが、各々の入場料で効用を得られる時間は異なるため、時間あたりの効用で価格競争力を考えてみる。仮に消費時間をテーマパークは8時間、スポーツ観戦は3時間、映画は2時間、美術館は1.5時間とすると、1時間あたりの体験費用はスポーツ観戦が約1,700円で、テーマパーク、映画、美術館企画展が約1,000円、美術館通常展は約350円となる。美術館通常展は価格優位があるが企画展はテーマパークや映画と競合関係にある。

図6：文化芸術鑑賞状況

1年間で鑑賞した文化芸術	比率
1. 映画（アニメ除く）	36%
2. 歴史的建造物、遺跡	27%
3. 美術	24%
4. ポップス、歌謡曲など	19%
5. 歴史系博物館など	17%

美術を鑑賞 24%
鑑賞していない 33%
他文化芸術を鑑賞 44%

文化芸術を鑑賞しない理由	比率
1. 関心がない	35%
2. 近所で鑑賞できない	16%
3. 費用が高い	15%
4. 魅力的なイベントが少ない	12%
5. TVやネットなどで鑑賞	11%

出所：文化庁「文化に関する世論調査（R1年度）」をもとに集計

図7：時間制約

行動時間分類
（加重平均）

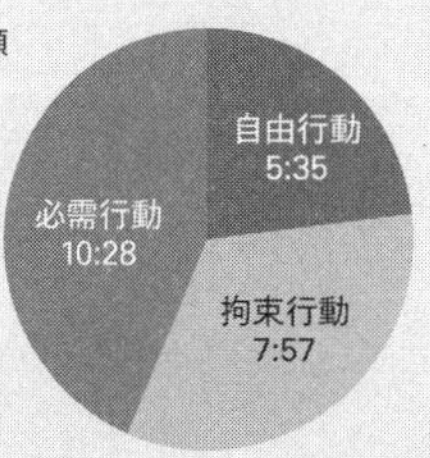

自由行動 5:35
必需行動 10:28
拘束行動 7:57

自由行動内訳（時間制約の競合相手）

会話・交際	インターネット（動画除く）
スポーツ	インターネット動画
行楽・散策	テレビ、ラジオ、録画番組、DVD
趣味・娯楽・教養	CDなど音楽
休息	新聞・雑誌・漫画・本

※NHK放送文化研究所　「国民生活時間調査2020」をもとに集計

図8：予算制約

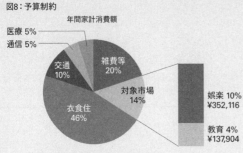

年間家計消費額

医療 5%
通信 5%
交通 10%
雑費等 20%
衣食住 46%
対象市場 14%
娯楽 10% ¥352,116
教育 4% ¥137,904

※総務省　1世帯当たり1カ月の支出から集計

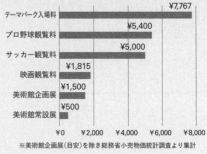

テーマパーク入場料 ¥7,767
プロ野球観覧料 ¥5,400
サッカー観覧料 ¥5,000
映画観覧料 ¥1,815
美術館企画展 ¥1,500
美術館常設展 ¥500

¥0　¥2,000　¥4,000　¥6,000　¥8,000

※美術館企画展（目安）を除き総務省小売物価統計調査より集計

ディズニーランドを筆頭にテーマパークは非日常空間を提供している。プロ野球はリアルならではの体験を追求しボールパーク構想も推進している。ネット配信と競合する映画館もリアルならではの体験を追求し、音響や解像度を含めた体感シアター化を推進している。

このように娯楽市場における競合コンテンツは、「非日常体験」、「リアルならではの体験」、を提供し、消費者の時間制約、予算制約のなかでの成長拡大を図っており、美術館も「非日常体験」や「リアルならではの体験」を追求し、娯楽や教育を提供していく必要があるのではないか。

徳島県の大塚国際美術館や、島根県の足立美術館のように、比較的高価な入場料で多くの来館者を実現している美術館も存在する。これらの美術館は、特徴ある展示作品群に加え、設立当初から建物や庭園を地元の持つ観光資源と連携させて、非日常体験をリアルに提供している。その結果、娯楽市場ではなく、市場規模70兆円を超えると言われるレジャー市場のなかの、年間5,430万人が参加する国内観光旅行市場において持続的な経済環境を成立させている。しかしながら、20年以上前に開館した大塚国際美術館の総工費は約400億円ともいわれ、既存美術館がターゲット市場を娯楽市場からレジャー市場に変えたくてもそれに見合う投資資金を集めるのは投資回収期間や投資効率の観点から困難である。よって、現実的な解は既存の建物などのハードインフラを活かしたうえで、展示事業の企画方針やコスト構造を抜本的に見直すことではないか。具体的には、美術専門家が美術愛好家に向けた展示では

なく、幅広い層の人々に向けた「非日常」や「リアルならでは」を追求する展示に戦略転換し、他の競合コンテンツと比肩する競争力を確保することが必要と考える。

場所の概念を超えたクローン文化財、時間の概念を超えたスーパークローン文化財、環境の概念を超えたハイパー文化財を混在させることで、一連のクローン文化財はオリジナル文化財より多くの情報を提供する情報メディアとなり、触覚含めた五感を通じてストーリーを提供するテーマ展示を可能とする。「リアルならでは」を追求するのに自館所蔵作品だけでの展示企画では困難かもしれない。他館から借り入れたら展示固定費がかさみ事業収支の成立が厳しいかもしれない。そのようななか、自館所蔵作品を軸にクローン文化財でストーリーを補完し、固定費を抑えたテーマ展示を常設することで展示事業の採算性を高めることができるのではないか。

これからの展示は、作品や背景といった過去の史実を伝えるのに加え、未来に向けて思考する機会を提案することが重要と考える。従来の文化財保存が重要なのは論をまたないが、元来保存は手段であり、真の目的は文化の継承と考える。クローン文化財には"保存と公開"のジレンマを解消した文化継承の推進や、教育現場へのリーチ拡大により社会教育の推進といった公益性と、自館所蔵作品を軸にクローン文化財を交えた骨太なストーリーを持つ常設テーマ展示による展示事業収支の改善といった経済性の両立への貢献が期待される。

クローン文化財のあゆみ

2010	7月	宮廻正明らが発明した「質感を表現した素材の製造方法及び絵画の製作方法、質感を表現した素材及び絵画、建築用材料」を特許登録(特許4559524号)
2011	6月	宮廻正明らが発明した「素材の製造方法及び絵画の製作方法、素材及び絵画」を特許登録(特許4755722号)
2012	12月	宮廻正明らが発明した「素材の製造方法及び絵画の製作方法、素材及び絵画、建築用材料」を特許登録(特許5158891号)
2013	3月	東京藝術大学共感覚イノベーションセンターが「地域資源等を活用した産学連携による国際科学イノベーション拠点整備事業」に採択
	10月	東京藝術大学共感覚イノベーションセンターが「革新的イノベーション創出プログラム(COI STREAM)」COIトライアル拠点に採択
2014	4月	展覧会「別品の祈り―法隆寺金堂壁画―」(於：東京藝術大学大学美術館陳列館)を開催
	11月	ASEAN(東南アジア諸国連合)サミット2014におけるミャンマー政府からASEAN+3の各国首脳への記念品として、ミャンマー・バガン遺跡の複製壁画をミャンマー文化省へ寄贈
2015	2月	東京藝術大学「感動」を創造する芸術と科学技術による共感覚イノベーション拠点が「革新的イノベーション創出プログラム(COI STREAM)」COI拠点に昇格
	4月	展覧会「ハイカラ―覚醒するジャポニズム―ボストン美術館スポルディング・コレクション」(於：東京藝術大学大学美術館陳列館)を開催
	5月	「地域資源等を活用した産学連携による国際科学イノベーション拠点整備事業」として、東京藝術大学「Arts & Science LAB.」(産学官連携棟)が竣工
	8月	見本市「JSTフェア2015―科学技術による未来の産業創造展―」(於：東京ビッグサイト)にてクローン文化財を展示
	11月	イベント「サイエンスアゴラ2015」(於：お台場地域)にてクローン文化財の展示とワークショップを開催
2016	1月	オランダ芸術科学保存協会(NICAS；Netherlands Institute for Conservation Art and Science)と包括的な協定締結
	4月	保護・保管されたアフガニスタンの流出文化財とともに、破壊されたバーミヤン大仏の壁画や周辺の窟から削り取られた壁画断片のクローン文化財を用いた展覧会「素心 バーミヤン大仏天井壁画～流出文化財とともに～」(於：東京藝術大学大学美術館陳列館)を開催
	5月	宮廻正明がG7伊勢志摩サミットサイドイベント「テロと文化財―テロリストによる文化財破壊・不正取引へのカウンターメッセージ」において、サミット参加国首脳にクローン文化財のプレゼンテーションを実施
	7月	イベント「藝大×ルミネ「GEIDAI ARTS LUMINE 0」」(於：新宿NEWoMan)を開催
		展覧会「レンブラント リ・クリエイト展2016」(於：そごう美術館)にてクローン文化財を展示
	8月	見本市「JSTフェア2016―科学技術による未来の産業創造展―」(於：東京ビッグサイト)にてクローン文化財を展示
	11月	イベント「サイエンスアゴラ2016」(於：お台場地域)にてクローン文化財の展示とワークショップを開催

	12月	国際会議「紛争地域における文化遺産保護」(於:アブダビ)にて宮廻正明の招待講演とクローン文化財の展示を実施

ミャンマー国立博物館がパガン壁画のクローン文化財をパブリックコレクションとして公開展示

展覧会「触れる絵画・彫刻」(於:第16回障害者芸術・文化祭あいち大会)にてクローン文化財を展示

2017

2月 米国AAAS「Annual Meeting」(於:ワシントンDC)内のJSTブースにクローン文化財を展示

敦煌研究院と「文化財共同研究に関する覚書」を締結

3月 法隆寺釈迦三尊像のクローン文化財の完成披露展「法隆寺 再現 釈迦三尊像展―飛鳥が告げる未来―」(於:富山県高岡市)を開催

4月 展覧会「ボイマンス美術館所蔵 ブリューゲル「バベルの塔」展」(於:東京都美術館)にてスーパークローン文化財を展示

展覧会「Study of BABEL」(於:東京藝術大学Arts & Science LAB.)を開催

5月 宮廻正明らが発明したクローン文化財関連特許(特許第4559524号)で、平成29年度全国発明表彰「21世紀発明奨励賞」を受賞

8月 見本市「JSTフェア2017―科学技術による未来の産業創造展―」(於:東京ビッグサイト)にてクローン文化財を展示

9月 クローン文化財展「素心伝心―クローン文化財 失われた刻の再生」(於:東京藝術大学大学美術館)を開催

10月 展覧会「ニネヴェ展」(於:オランダ国立古代博物館)にてスーパークローン文化財を展示

展覧会「龍子の生きざまを見よ!」(於:大田区立龍子記念館)にてクローン文化財を展示

11月 イベント「サイエンスアゴラ2017」(於:お台場地域)にてクローン文化財の展示とワークショップを開催

2018

1月 宮廻正明、青柳正規らが、クローン文化財を提供して文化外交・文化共有の推進、観光産業の発展支援、感性教育の推進を通じた社会貢献を目指すベンチャー企業「株式会社IKI」を設立

2月 展覧会「BABEL: Old Masters Back from Japan」(於:オランダ ボイマンス美術館)にてクローン文化財を展示

4月 宮廻正明が平成30年度科学技術分野の文部科学大臣表彰を受賞

5月 株式会社IKIが第1号「東京藝術大学発ベンチャー」称号を取得

7月 展覧会「井上涼展 夏休み! オバケびじゅチュ館」(於:霧島アートの森)にてクローン文化財を展示

クローン文化財展「東京藝術大学クローン文化財展 甦る世界の文化財〜法隆寺からバーミヤンへの旅〜」(於:島根県立美術館)を開催

展覧会「シルクロード新世紀―ヒトが動き、モノが動く―」(於:岡山市立古代オリエント美術館)にてクローン文化財を展示

11月 イベント「サイエンスアゴラ2018」(於:お台場地域)にてクローン文化財の展示とワークショップを開催

12月 敦煌研究院と「学術交流協定」及び「文化財共同研究に関する覚書」を締結

2019

4月 クローン文化財展「東京藝術大学スーパークローン文化財展　最先端技術でよみがえるシルクロード—法隆寺・敦煌莫高窟・バーミヤン—」(於：東北歴史博物館)を開催

展覧会「すごいぞ！そっくり展〜食品サンプルからゴッホまで〜本物から学ぶとこうなった」(於：北九州イノベーションギャラリー)にてクローン文化財を展示

5月 株式会社IKIが宮廻正明らが発明した「表現装置及び表現方法」を特許登録(特許6532969号)

7月 クローン文化財展「この夏、世界の宝に触れに行く 東京藝術大学スーパークローン文化財〜バーミヤン、敦煌、法隆寺からゴッホまで」(於：福井県立美術館)を開催

8月 見本市「JSTフェア2019—科学技術による未来の産業創造展—」(於：東京ビッグサイト)にてクローン文化財を展示

9月 第25回ICOM(国際博物館会議)京都大会2019のソーシャルイベントにてクローン文化財を展示

展覧会「スーパークローン文化財ってなに？」(於：東京藝術大学大学美術館陳列館)を開催

10月 展覧会「世界遺産 敦煌」(於：平山郁夫美術館)にてクローン文化財を展示

11月 イベント「サイエンスアゴラ2019」(於：お台場地域)にてクローン文化財の展示とワークショップを開催

12月 展覧会「世界遺産 敦煌とシルクロード」(於：平山郁夫美術館)にてクローン文化財を展示

写真展「ウズベキスタン美術における仏陀の形象」(於：東京藝術大学大学美術館陳列館)にてクローン文化財を展示

2020

4月 展覧会(開催中止)「法隆寺金堂壁画と百済観音」(於：東京国立博物館)にてクローン文化財を展示

クローン文化財展「東京藝術大学スーパークローン文化財展　素心伝心」(於：あかがねミュージアム)を開催

5月 株式会社IKIが2020デジタルアーカイブ産業賞貢献賞を受賞

8月 クローン文化財展「東京藝術大学スーパークローン文化財展—最先端技術がつくる未来—」(於：そごう美術館)を開催

10月 クローン文化財展「東京藝術大学スーパークローン文化財展　芸術は科学で甦る」(於：北九州市旧大連航路上屋)を開催

2021

1月 クローン文化財展「東京藝術大学スーパークローン文化財展—アジアの美にふれる—法隆寺・高句麗・敦煌」(於：大野城心のふるさと館)を開催

4月 クローン文化財展「未来につなぐ〜新美術館でよみがえる世界の至宝　東京藝術大学スーパークローン文化財展」(於：長野県立美術館)を開催

7月 クローン文化財展「謎解き「ゴッホと文化財」展—つくる文化∞つなぐ文化」(於：そごう美術館)を開催

9月 展覧会「みろく—終わりの彼方 弥勒の世界—」(於：東京藝術大学大学美術館)にてクローン文化財を展示

2022

3月 展覧会「コレクション企画展　クローン文化財 ミレーの《種をまく人》」(於：山梨県立美術館)にてクローン文化財を展示

クローン文化財用語集

本書に登場する用語のうち、絵画、彫刻、クローン文化財の開発環境などに
関係する語を選んでまとめた。
参考文献:『図解　日本画用語事典』(東京藝術大学大学院文化財保存学日本
画研究室編、東京美術、2007年)をもとにしている。

【岩絵具】 いわえのぐ

鉱物を粉砕してつくった顔料。代表
的なものに群青、緑青、辰砂などが
ある。現在では水簸精製により粒子
を10数段階に分けて使用し、粒子が
細かいほど淡く、粗いほど濃い色調
となる。粒子の大きさによって通常
3番から15番程度の番号がつけられ
ており、番号が大きいほど細かくな
る。最も細かいものは白(びゃく)と
いう。また、加熱することで色調を
変化させるものもある。

【裏打】 うらうち

本紙となる紙や絹、裂などを補強す
るために裏面に紙を糊で貼ること。
用いる紙は本紙の状態や目的に合わ
せて選択する。特に最初の裏打を肌
裏打(はだうらうち)といい、2回目以
降の裏打を増裏打(ましうらうち)と
いい、最後の裏打を総裏打(そううら
うち)という。

【裏打紙】 うらうちがみ

裏打紙(うらうちし)ともいう。本紙
や表装裂などを補強するために、そ
の裏面に貼る和紙のこと。用途に応
じ適した和紙が用いられるが、特に
楮紙が用いられる場合が多い。

【鉛白】 えんぱく

白色系顔料。主成分は塩基性炭酸鉛
で人工的に合成してつくる。微粒子
で被覆力が高い。

【ガス型鋳造法】
がすがたちゅうぞうほう

粘結剤を加えた鋳物砂で造型し、砂
型に炭酸ガスを通し、化学反応に
よって硬化させて外型及び中子を成
型することで鋳物を制作する鋳造技
法のひとつ。鋳型の強度が高く、寸
法精度が高いというメリットがある。

【キサゲ】 きさげ

金属加工に使われる刃先が鈍角の専
用の鑿(のみ)。

【基底材】 きていざい

絵画の塗膜を支える面を構成する物
質を指す。支持体ともいう。

【切箔】 きりはく

箔を小片に截ったもの。またはそれ
を画面に蒔く表現技法、および表現
したもの。蒔き散らしたような自然
な趣が特徴で、方形に截ったものは
山椒や霰、石といい、1mm角以下の
ものを山椒、2〜3mm角くらいのも
のを霰、5〜6mm角くらいのものを
小石といい、それ以上のものを大石
という。野毛や砂子と併用すること
で美麗な装飾効果が得られる。

【雲肌麻紙】 くもはだまし

大麻と楮を原料として漉いた和紙。
厚手で丈夫なため現在の日本画で多
用されている。1926年に福井県今立
町大滝の岩野平三郎工房で、天平時
代の麻紙を参考に現在の日本画用に
創製した。

【群青】 ぐんじょう

青色系顔料。原石は藍銅鉱(アズライ
ト)。主成分は塩基性炭酸銅。藍銅鉱
は緑青の原石である孔雀石とともに
銅の鉱床から産出されるが、産出量
が少ない。古くから東洋絵画の青の
絵具として珍重され、色味によって
金青、空青、白青などと名称があっ
た。加熱すると黒青色から黒になる。

【蛍光X線分析】
けいこうえっくすせんぶんせき

X線を利用した非破壊的文化財調査。
物質に含まれる元素の種類と量を分
析する。物質にX線を照射したとき、
物質に含まれる元素に特有の波長
(エネルギー)の蛍光X線が放出され

る。この波長とその発生量を測定す
ることで元素の種類や存在量などを
調べる。絵画の場合、絵具の種類な
どを推定することができる。

【ケミカルウッド】 けみかるうっど

ポリウレタンを主剤とした人工的に
木材のような性質を持たせた素材。
硬さの異なる複数の種類があり、木
材のように木目はないため加工性に
優れ、環境にも配慮した素材。切削
加工機との親和性もよく、形状確認
の手段として頻繁に用いられる。

【胡粉】 ごふん

白色系顔料。現在では貝殻胡粉のこ
とを指すが、鉛白を"胡粉"と呼んで
いた時代もある。胡の国(ペルシャ)
から伝来した粉ということからつけ
られた名称。貝殻胡粉の主成分は炭
酸カルシウムで原料のいたぼ牡蠣の
貝殻を風化させ、砕いて精製してつ
くる。いたぼ牡蠣の上蓋と下蓋の混
合比によって上胡粉、並胡粉などと
分けられ、上蓋が多いほど純白に近
く、明度が高い。原料に蛤を用いた
ものもある。

【コロタイプ】 collotype

ゼラチンを塗布したガラス板を原版
にすることから玻璃版と呼ばれてい
た時期もある。撮影した写真原版が
そのまま印刷原版になり、オフセッ
トのような網点は存在せずに連続諧
調による画像表現が最大の魅力で、
非退色性に優れる。写真や絵画など
の精密な複製制作に適すが、職人に
よる手作業で製作するため、大量生
産には不適である。

【朱】 しゅ

赤色系顔料。主成分は硫化水銀。水
銀と硫黄を人工的に合成してつく
る。混合比や温度調節により黄口朱、

赤口朱などさまざまな色調が製造されている。

【砂子】 すなご
砂子筒と呼ばれる竹筒の片側に金網を張ったものを通して細かくした箔のこと。またはそれを画面に蒔く表現技法、および表現したもの。砂子筒に箔を入れて、砂子用の筆で掻きまわすことで、箔は細かく粉砕され、砂子をつくることができる。

【宣紙】 せんし
仙紙ともいい、画仙紙、画箋紙、画宣紙とも書く。中国産のものは本画仙、日本産のものは和画仙という。竹、稲藁、楮、三椏などの繊維を原料として漉いた紙で、宣紙は特に青檀と稲藁を原料としている。紙面は白く平滑で、墨色の発色が良くにじみが深いため理想の書画用紙とされ、主に書道や水墨画に用いられる。

【タガネ】 鏨（たがね）
金属や石を加工するための工具の一種。鋼鉄製で、一般的につち（ハンマー）とともに用いる。「たがね」とひらがなで表記されることもある。

【脱活乾漆】 だっかつかんしつ
7世紀後半に中国から伝来し、奈良・天平時代に最盛期を迎えた漆を用いた彫刻技法。粘土で原型をつくり、その表面を麻布で貼り固め、像内の粘土を除去して中空にしたのち、麻布の表面に漆木屎を盛り付けて塑形する。表情豊かな面相、起伏にとんだ体躯、複雑な形状などの、自由自在な造形表現を可能にした。

【東京藝術大学COI拠点】
とうきょうげいじゅつだいがくしーおーあいきょてん
東京藝術大学COI「感動」を創造する芸術と科学技術による共感覚イノベーション拠点。文部科学省と科学技術振興機構が平成25年度から開始した「革新的イノベーション創出プログラム（COI STREAM）」に平成27年度から採択され、芸術と科学技術の異分野融合、教育・医療・福祉産業との連携により、文化と心を育むコンテンツの発信と文化インフラを広く国内外に整備し、「日本の文化立国と国際的な共生社会の実現」を目指している。同拠点内、文化共有グループは芸術、歴史、科学分野の成果を統合した高精度な文化財複製「クローン文化財」の研究と開発を行う。（COI：センターオブイノベーション）

【ドーサ】 どーさ
礬水（ばんすい・どうさ）ともいい、ドーサ、礬砂、陶砂とも書く。膠水と明礬の混合水溶液。明礬の添加により、膠の硬化作用を促す。基底材のにじみ止めや箔を押す（接着する）ときの接着剤として用いる。

【鍍金】 ときん
メッキともいう。材料の表面を薄い金属の皮膜でおおう金属表面処理法。装飾、防食、表面硬化などさまざまな目的で使われる。プラスチックやセラミックなど材料一般に対しても表面処理の代名詞として、メッキという言葉が使われることもある。

【トルソー】 torso
人間の頭部・両腕・両脚を除いた胴体部分のこと。「木の幹」や「胴体」を意味するイタリア語に由来する。トルソともいう。芸術分野では胴体部分のみを造形した彫刻を指すことが多い。

【膠】 にかわ
古くから用いられる接着剤のひとつ。日本画では顔料を基底材に接着させる役割や、明礬を加えてドーサをつくり、基底材のにじみ止めに用いる。主成分はコラーゲンのほか、良質の動物性蛋白質で主に牛や豚、ウサギの皮や骨、腱などから抽出される。不純物を取り除き精製したものは食用ゼラチンとして用いる。水を加えて加熱して使用する。

【野毛】 のげ
禾（のぎ）ともいう。芒とも書く。切箔の一つで、箔を糸状に細かく截ったもの。またはそれを画面に蒔く表現技法、及び表現したもの。

【箔】 はく
金属を薄く叩き延ばし、整形したもの。金や銀のほか、プラチナなどさまざまな金属が箔に用いられている。

【白土】 はくど
白色系顔料。主成分は珪酸マグネシウムまたはアルミニウム塩鉱物。一般にはカオリンと呼ばれる白色粘土鉱物を指す。貝殻胡粉よりやや黄色味がある。古くから壁画や仏像の彩色の下塗りに用いられている。

【版ずれ】 はんずれ
2色以上の版を重ねて印刷する際に、刷版の位置合わせが正常に行われず、特定の色がページ全体にわたりずれてしまう状態のこと。色が重なる部分の輪郭がぼやけたり、下地の紙の色が見えてしまうなど不鮮明な様子。

【フォトグラメトリ】
photogrammetry
被写体をさまざまな視点から撮影し、そのデジタル画像を解析、統合して立体的な3DCGモデルを作成する手法。デジタルカメラを用いた3次元測定機に応用されている。3Dスキャナのような機器が不要で、一般的なデジタルカメラによる写真だけで3DCGモデルを生成できることが特徴である。

【袋張り】 ふくろばり
浮け張り（うけばり）ともいう。屏風、襖、額装の下張りのひとつ。小判にした紙の周囲にだけ糊をつけて貼り込む方法。

【ブロンズ】 bronze
青銅、青銅製のもの、青銅の像。青銅は鉄よりも早い時代から使われてい

る銅（Cu）を主成分とし、錫（Sn）を含む合金。融点が低く、木炭を使った原始的な炉で溶解し、鋳造することが可能である。そのため青銅は、古代には斧・剣・銅鐸などに広く使われた。鉄が普及する以前には、もっとも広く利用されていた金属。

【弁柄】　べんがら

赤褐色系顔料。紅柄、紅殻とも書く。主成分は酸化第二鉄。色調は豊富で紫色味のあるものは江戸中期から大正時代にかけて備中（岡山県）吹屋地方で盛んに生産された。朱よりも安価なため古来、絵画のほか建築物などにも多用されている。

【方解末】　ほうかいまつ

白色系顔料。原石は方解石。主成分は炭酸カルシウム。耐光性に優れ、安定している。

【ホウケイ酸ガラス】
ほうけいさんがらす

ホウ酸を混ぜて熔融し、軟化する温度や硬度を高めたガラスである。耐熱ガラス、硬質ガラスとして代表的な存在。一般のガラスに比べて耐熱性・耐薬品性に優れていることから、理化学器具や台所用品などに用いられている。

【湯道】　ゆみち

鋳物製造、プラスチック成型などで溶融物を鋳型本体に導くための通路。

【ラピスラズリ】　lapis lazuli

青色系顔料。原石はラピスラズリで、正式には青金石（ラズライト）という。主成分は珪酸塩。ラピスは「石」、ラズリは「群青」と訳されるが、天然の群青は藍銅鉱が原料で化学組成はまったく異なる。古くから特に西洋で珍重され、現在のアフガニスタンから海路で運ばれるため、「海を越えてくる青」という意味で西洋では顔料名はウルトラマリンブルーといわれる。

【螺髪】　らほつ

仏像の頭髪に現れている巻貝状にねじれた形状の髪型を指す名称。一般的に右巻きのものが多く、釈迦が人間を超えた存在であることを示す一つの特徴とされている。額の毛は白毫（びゃくごう）と呼ぶ。

【蝋型鋳造法】
ろうがたちゅうぞうほう

古くから発達した蝋（ワックス）の特性を生かした鋳造技法のひとつ。日本では飛鳥、奈良期の小金銅仏をはじめ、広く利用されている。蝋で原型をつくり、周りを鋳物砂や石膏で覆い固め、加熱により中の蝋を溶かし出して除去することでできた空洞に、溶かした金属を流し込むことで原型と同じ形をした鋳物ができ上がる。原型がロウ以外の材質でつくられている場合はシリコーンゴムなどで型取りして蝋に置き換えて行われる。

【緑青】　ろくしょう

緑色系顔料。原石は孔雀石（マラカイト）。主成分は塩基性炭酸銅。銅の鉱床の上部にできる。古くから東洋絵画の緑色顔料として珍重された。加熱すると深緑から黒緑、または黒色になる。

【3軸NC加工】
さんじくえぬしーかこう

主軸が左右方向（X軸）、前後方向（Y軸）、上下方向（Z軸）の3軸方向に動くことができる加工用の機械。主軸に高速回転する工具が取り付けられ、回転しながら3軸方向に自由に動いて対象物を切削する。

【3Dスキャナ】
スリーディーすきゃな

立体物を計測し、デジタルデータ（3Dデータ）として取り込むことができる機械。対象物にセンサーを当てたり、レーザーなどの光を照射し、X、Y、Zの三次元座標データを取得する。対象物に直接センサーを接触させて測定するものや、非接触で測定可能

なものなどさまざまな種類がある。

【3D切削機】
スリーディーせっさくき

3次元切削加工機とも呼ばれる、XYZの最低3軸を利用し材料の切削を行う加工機のこと。3Dデータをもとに、立体物を材料の塊から削り出す。加工負荷の少ない樹脂などを切削できる小型なものから、金属の切削が可能な工業用の大型のものまでさまざまなタイプが存在している。

【3Dプリンタ】
スリーディーぷりんた

3Dデータで構成されたデジタルモデルをもとにして、現実に立体物を出力する機器のこと。デジタルモデルを出力する技術または行為を3Dプリンティングもしくは3次元造形と呼ぶ。製造業を中心に、医療や建築など幅広い分野で用いられる。液体樹脂をUVレーザーで硬化させる光造形方式、高温で溶かした樹脂を積層する熱溶解積層方式など、さまざまな出力方式の機器が存在している。

【DX】　ディーエックス

Digital Transformation（デジタルトランスフォーメイション）の略語。デジタル技術を用いることで生活や社会が変容していくこと。また、AI、IoT、ビッグデータなどのデジタル技術を社会に浸透させることで、人々の生活をより良いものへと変革することを指す。

【NC加工機】　エヌシーかこうき

数値制御装置が備わっている工作機械のこと。NCは数値制御を意味するNumerically Control の頭文字をとった略称。数値制御装置により工作機械の自動化が可能になる。

執筆

本書の執筆者を掲載順にまとめた。
肩書きは2022年8月現在のもの。

青柳正規［あおやぎ・まさのり］
東京大学名誉教授、元文化庁長官、
株式会社IKI 取締役

宮廻正明［みやさこ・まさあき］
日本画家、東京藝術大学名誉教授、
東京藝術大学特任教授、株式会社IKI
代表取締役

田中正史［たなか・まさふみ］
元小杉放菴記念日光美術館学芸課長、
長野県立美術館学芸課長（執筆当時）

染谷香理［そめや・かおり］
日本画家

有賀祥隆［ありが・よしたか］
東北大学名誉教授、東京藝術大学客
員教授

深井 隆［ふかい・たかし］
彫刻家、東京藝術大学名誉教授、
東京藝術大学特任教授、株式会社IKI
取締役

阪上万里英［さかがみ・まりえ］
金工家、元東京藝術大学特任研究員

加藤大介［かとう・だいすけ］
彫刻家、東京藝術大学特任研究員

加々見太地［かがみ・たいち］
彫刻家、元東京藝術大学特任助手

伊東順二［いとう・じゅんじ］
プロデューサー、美術評論家、東京藝
術大学特任教授

林 宏樹［はやし・ひろき］
日本画家、東京藝術大学特任助手

工藤湖太郎［くどう・こたろう］
株式会社SELECT D デジタル3Dク
リエイター、元東京藝術大学特任准
教授

布山浩司［ぬのやま・こうじ］
株式会社SELECT D 代表取締役、白
鷗大学非常勤講師、元東京藝術大学
特任准教授

並木秀俊［なみき・ひでとし］
日本画家、東京藝術大学特任准教授

林 樹里［はやし・じゅり］
日本画家、東京藝術大学特任助手

大石雪野［おおいし・ゆきの］
彫刻家、元東京藝術大学特任准教授

三橋一弘［みはし・かずひろ］
東京藝術大学特任教授、株式会社IKI
取締役

梁取文吾［やなとり・ぶんご］
日本画家、元東京藝術大学特任研究員

松原亜実［まつばら・あみ］
日本画家、東京藝術大学専門研究員

小俣英彦［おまた・ひでひこ］
彫刻家、東京藝術大学特任准教授

小泉英明［こいずみ・ひであき］
日立製作所 名誉フェロー、東京大学
先端研フェロー／同ボードメンバー、
COIプログラム ビジョナリー委員

大野玄妙（2019年没）
［おおの・げんみょう］
法隆寺管主（執筆当時）

監修
宮廻正明 [みやさこ・まさあき]
日本画家／クローン文化財開発リーダー／東京藝術大学名誉教授。
1951年島根県生まれ。東京藝術大学卒業、同大学院修了。平山郁夫に師事。1999年
再興院展文部大臣賞受賞。2000年内閣総理大臣賞受賞。2010年クローン文化財特
許取得。2015年国立ロシア美術館個展。国立ブダペスト歴史博物館、国立リスボン
東洋博物館、国立ビティ宮近代美術館など各地で個展多数。
クローン文化財で、2016年G7伊勢志摩サミット特別講演。2017年全国発明表彰21
世紀発明奨励賞受賞。2018年科学技術分野の文部科学大臣賞受賞。

監修
深井 隆 [ふかい・たかし]
彫刻家／クローン文化財立体部門監修／東京藝術大学名誉教授。
1951年群馬県生まれ。東京藝術大学卒業、同大学院修了。1985年文部省在外研究
員としてRoyal College of Art (ロンドン) で研究。1989年第14回平櫛田中賞受賞。
2001年第12回タカシマヤ美術賞受賞。2013年紫綬褒章受章。近年の個展に、2018
年退館記念展「7つの物語」(東京藝術大学大学美術館)、2019年「詩興哲学的彫刻」
(赤粒藝術・台北)、2020年「彫刻の庭」(板橋区立美術館・東京)。

編著
IKI [Institute for Knowledge and Inspiration]
東京藝術大学発ベンチャーとして2018年に設立された会社組織。日本語で「知と
閃きの研究所」の意。クローン文化財を提供して文化外交・文化共有の推進、観光
産業の発展支援、感性教育を通した社会貢献を目指す。また、文化財の保存と活用
のための活動としてクローン文化財の特長を生かした展覧会の企画、監修を行う
など、多方面にわたり事業を展開している。

撮 影　　小俣英彦　西川竜司
編 集　　小俣英彦　染谷香理
　　　　　竹見洋一郎 (STORK)
ブックデザイン　原 純子 (STORK)

———————

笑顔のつぎ木
東京藝大・クローン文化財
2022年9月25日　初版第1刷発行

監 修　　宮廻正明　深井 隆
編 著　　株式会社IKI
発行者　　永澤順司
発行所　　株式会社東京美術
　　　　　〒170-0011
　　　　　東京都豊島区池袋本町3-31-15
　　　　　電話 03(5391)9031
　　　　　FAX 03(3982)3295
　　　　　https://www.tokyo-bijutsu.co.jp
印刷・製本　シナノ印刷株式会社

乱丁・落丁はお取り替えいたします。
定価はカバーに表示しています。

本書のコピー、スキャン、デジタル化等の無断複製は著作権法上
での例外を除き禁じられています。本書を代行業者等の第三者
に依頼してスキャンやデジタル化することは、たとえ個人や家庭
内での利用であっても一切認められておりません。

ISBN978-4-8087-1249-5 C0070
©TOKYO BIJUTSU Co., Ltd. 2022 Printed in Japan